LE MYSTĒRE DE LA VIE

de la conception à la naissance

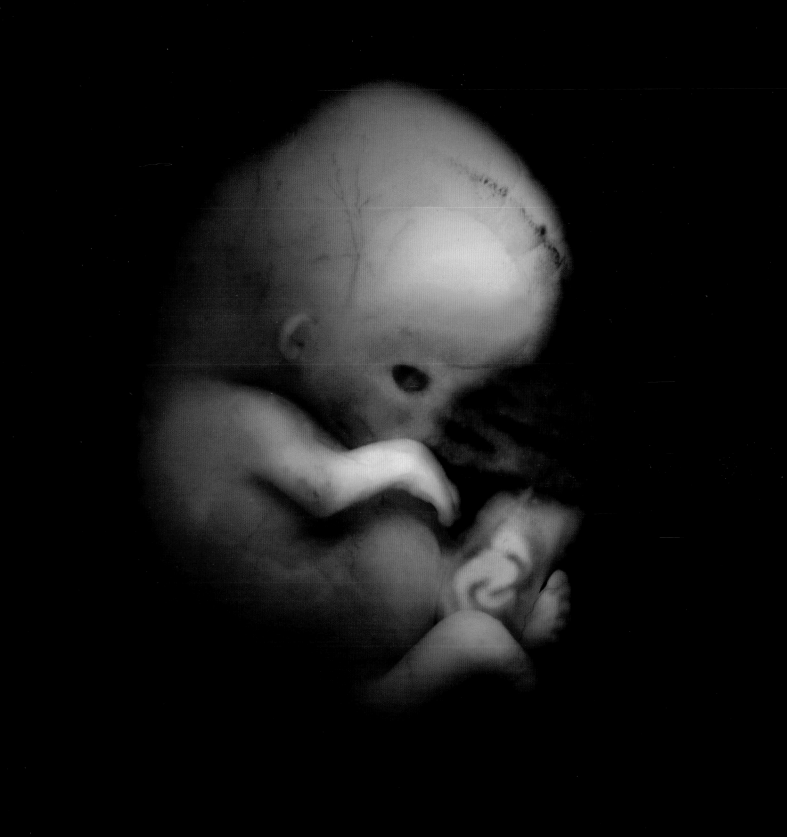

Que vit le bébé que je porte ?

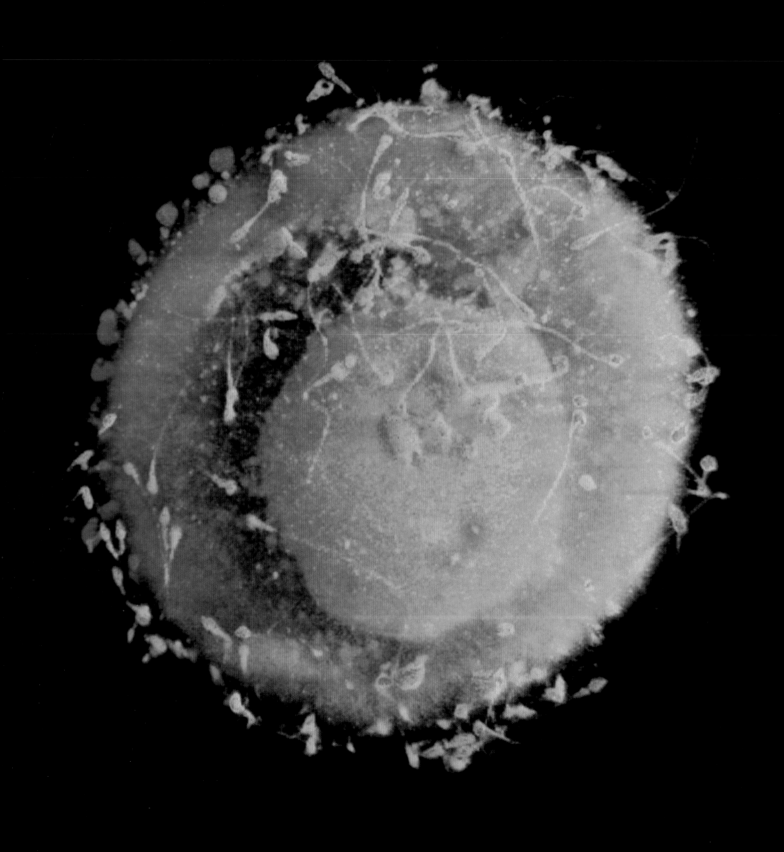

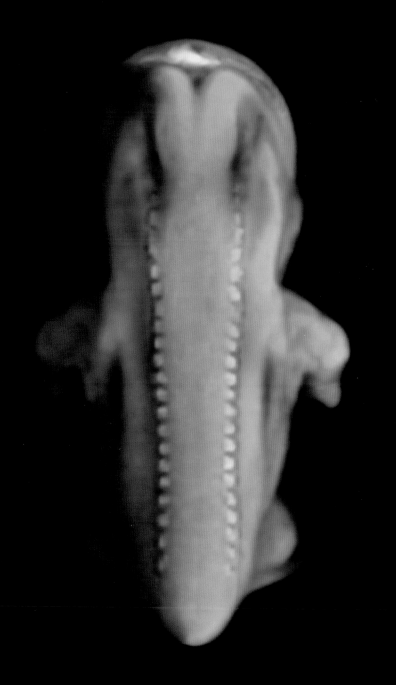

Un
événement
majeur

Notre architecture vivante… émouvante, magnifique,

étonnante – merveilleuse, dans tous les sens du mot.

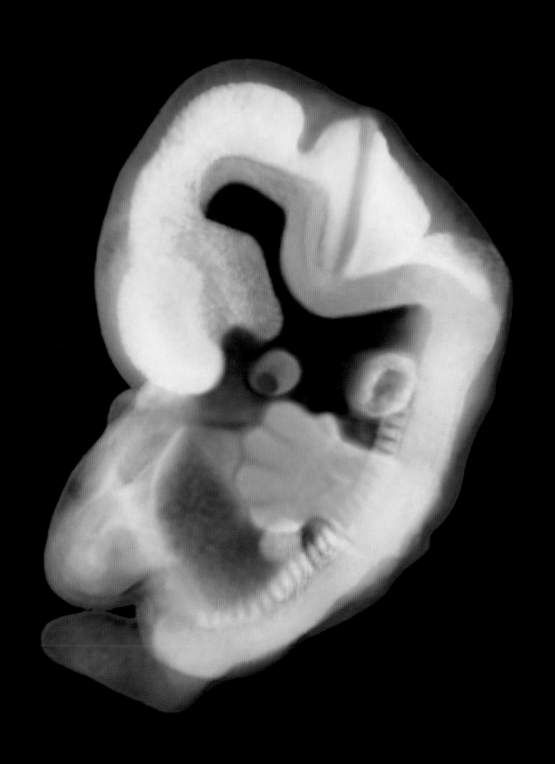

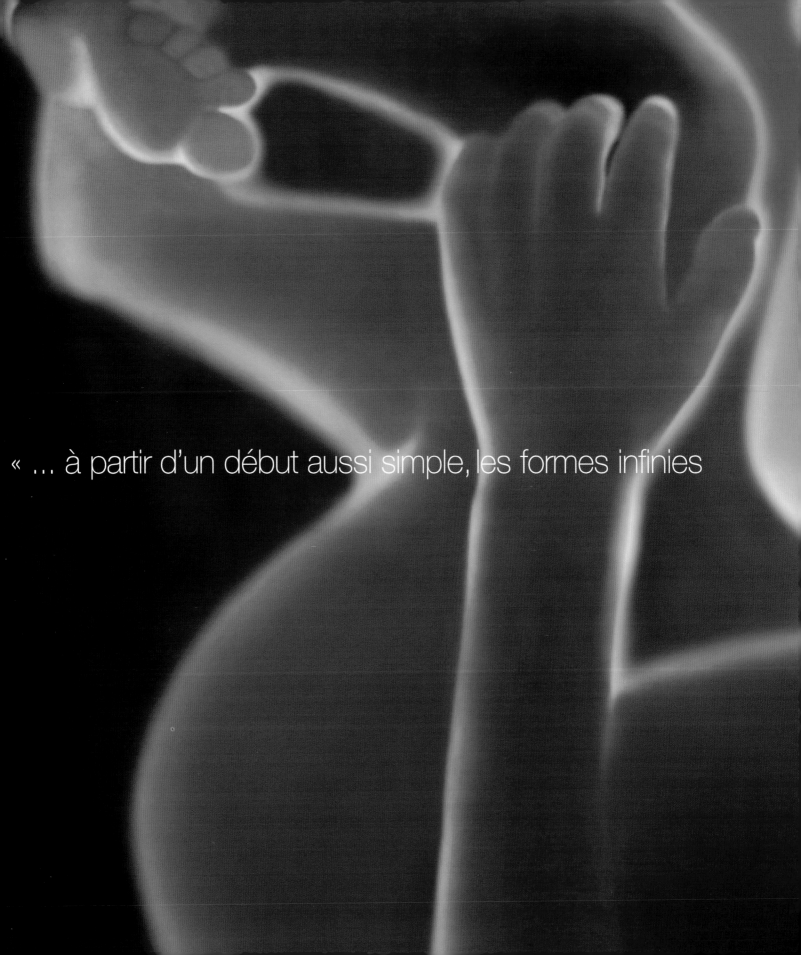

« ... à partir d'un début aussi simple, les formes infinies

les plus belles […] sont nées et n'ont cessé d'évoluer. »

—*De l'origine des espèces, Charles Darwin*

L'édition originale de cet ouvrage a été publiée en novembre 2002
par Doubleday, Random House, Inc., sous le titre *From Conception to Birth*.
Direction artistique : Stark Design - NYC: Adriane Stark et Craig Bailey.
© 2002, Alexander Tsiaras.
© 2002 pour le texte, Barry Werth.

Pour la présente édition :
© 2003, ÉDITIONS FILIPACCHI - PARENTS
Éditorial : Sophie Lilienfeld
Traduction : Docteur René Gentils
Mise en page : Marie-France Fèvre Couanault
Relecture : Michelle Teboul
Toute reproduction, même partielle, de cet ouvrage est interdite
sans l'autorisation préalable et écrite de l'éditeur.

Numéro d'éditeur : 1453 - ISBN : 2-85018-614-7 - Dépôt légal : avril 2003.
Imprimé en Italie par Canale.

LE MYSTĒRE DE LAVIE

de la conception à la naissance

Alexander Tsiaras

Texte de Barry Werth

Préface **Professeur MARCEL RUFO**

filipacchi **PARENTS**

Préface

Tout a changé. La grossesse est devenue transparente. Nous voyons nos futurs enfants grâce à l'échographie. Ils bougent, plus tard ils sucent leur pouce, et les parents s'exclament : « il nous ressemble ! ». L'album de famille ouvre souvent sur l'échographie : c'est la première fois que l'on a rencontré son enfant. Notre temps est bien d'abord un temps de l'image.

Lorsque l'on regarde les photos splendides de ce livre, on est envahi par un sentiment d'étrangeté sensible : j'étais comme cela ? Finalement c'est beau !

Au début, cela ressemble à des dessins d'enfant, à de l'arithmétique. C'est la conception. Comme les premiers coloriages à l'école maternelle, il ne faut pas déborder, bien colorier le noyau. Mais voilà qu'un petit serpent spermatozoïde entre par effraction dans le rond parfait de l'ovule. Lorsque les progrès en graphisme s'affirment, jaillissent les reproductions arithmétiques de la génétique : les chaînes d'ADN à l'envi toujours identiques, semblables, rassurantes par leur homogénéité mais terribles quand un accident brise la chaîne ou triple un chromosome. L'arithmétique persiste et l'on voit bien que les cellules passent de deux à seize, toujours avec une grande régularité. Va-t-on en rester là ? La cellule demeurerait-elle primitive avec le noyau et le protoplasme, comme les plus simples modèles dans un modeste cours d'eau ?

Voici qu'arrive le deuxième temps : la science-fiction. Le tube neural occupe la scène. On voit bien que la dimension du cerveau, avec son prolongement oculaire – nos Maîtres disaient bien que « la rétine est l'image du cerveau » –, affirme sa primauté. Plus tard, la face, le cœur, les membres suivront.

Tout est en place pour la dernière scène : la photographie. Les sens apparaissent (regardez l'oreille à 24 semaines, et la paupière à 42 jours). Les doigts, en boule d'abord, flottent dans une espèce de filet transparent au 48e jour. L'embryon peut sans doute commencer à être ému, à se souvenir, à sentir, s'entraîner à reconnaître les sons (56e jour). Et si le fœtus se met à bouger au troisième mois, il finira par rêver au huitième, de façon synchrone avec sa maman. La fabrique à émotions a prouvé ses performances.

Comment peut-on interpréter les impressions étranges qui nous envahissent en tournant ces pages ? L'hypothèse la plus simple serait de dire que nous faisons une reconstruction imaginaire de notre vie intra-utérine : notre période aquatique fait partie de notre existence, et dans notre phase aérienne nous devons nous en souvenir. Notre sentiment de « déjà vu » serait donc associé à un « déjà vécu ». Cette rationalité nous rassure. Car il serait plus inquiétant d'imaginer une mémoire proto-archaïque de notre vie embryonnaire. En effet, la question de la mémorisation de nos premiers souvenirs subsiste.

Existerait-il des souvenirs intra-utérins ? Pourrions-nous être traumatisés dans notre première vie aquatique ? On sait déjà que le fœtus est sensible à la prosodie de la voix de sa mère, qu'il va se souvenir des chansons qu'elle a fredonnées pendant la grossesse, qu'il reconnaîtra le goût de son lait, l'odeur de sa peau. Est-il futile de croire que la vision de ces images fonctionnerait comme une excitation de mémoire où le vrai « du rendu photographique » faciliterait nos évocations ?

L'humain commencerait donc dès les premières mitoses. Nous observons dans la croissance de cet embryon ce qui va de plus en plus nous ressembler, nous imaginons bientôt chez lui l'apparition d'émotions : il dort, donc il rêve ; il suce son pouce, alors il a besoin de se rassurer, il absorbe le liquide amniotique, c'est qu'il doit avoir faim. Le travail psychologique commence bien là : l'enfant imaginaire se métisse avec l'enfant réel que nous contemplons, et nous devenons prédictif de sa vie, de ses souffrances mais aussi de son bonheur.

Il est temps qu'il sorte. La dernière image nous rassure. Il est tenu par des bras d'homme, présenté à la Cité comme les enfants de la Rome antique. Et ses cheveux, sur la dernière image, participent du charme des bébés dans leur odeur, leurs cris et l'immense effort qu'ils inaugurent pour capter notre attention et notre affection.

Les compétences de cet enfant vont lui permettre d'être tout à la fois émetteur de sentiments et récepteur de sensations-réponses. L'interaction est en route et représente le socle du développement, des progrès et de la conquête du symbolique.

Laissez-vous porter dans notre histoire commune, l'histoire de la vie, en parcourant ce bel ouvrage.

Professeur Marcel Rufo

Sommaire

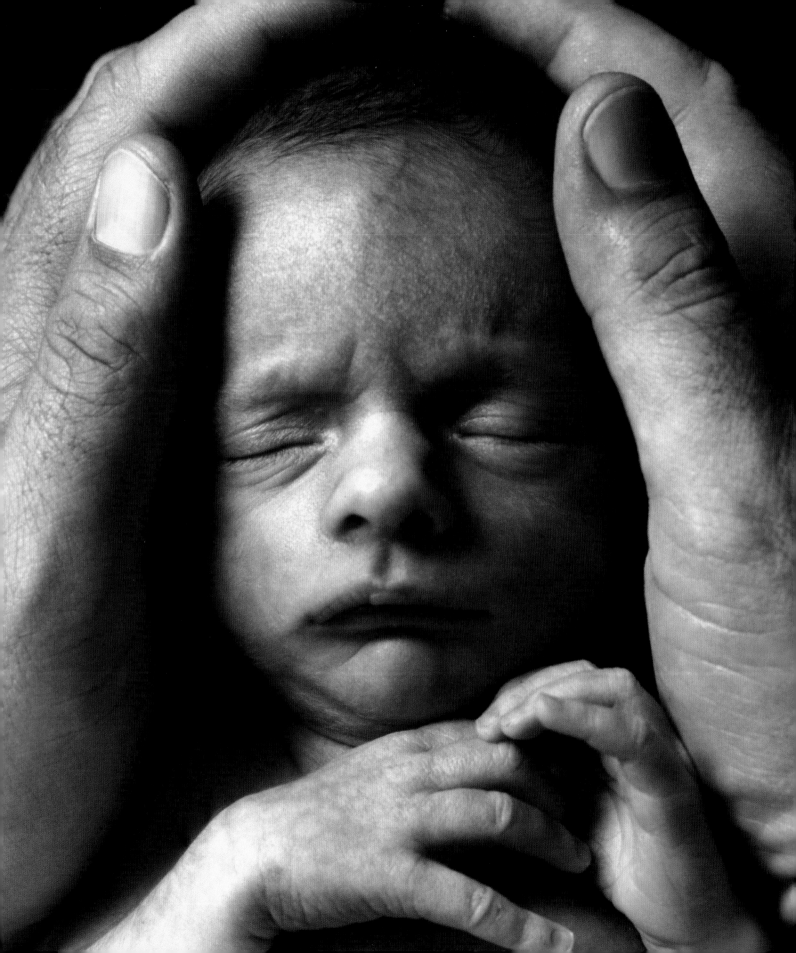

Le spectacle d'une vie naissante

« Que vit le bébé que je porte ? » Autrefois, si les femmes enceintes s'avisaient de poser cette question, la réponse était enrobée d'un épais mystère, comme le ciel d'une nuit sans lune. Les futurs parents savaient que, lorsqu'un enfant grandit et se développe dans l'utérus, une nouvelle vie se développe. Mais ils n'imaginaient pas que l'on pourrait un jour observer cet univers intérieur. Même s'ils avaient une lointaine idée des étapes du développement embryonnaire grâce à leurs cours de biologie ou aux brochures des cabinets de gynécologie, ils ne pouvaient se représenter les phénomènes merveilleux qui se produisent dans un ventre maternel.

Tout a commencé à changer dans les années 1960. Des appareils photographiques ont été introduits partout, y compris dans les régions les plus intimes du corps féminin. Il est alors devenu possible de voir les étapes de la vie prénatale, grâce aux images granuleuses de l'échographie et aux merveilleuses photographies couleur montrées dans les magazines et à la télévision. De la même façon que les corps célestes nous sont devenus presque familiers à l'ère des voyages et des télescopes spatiaux, la création du corps humain a perdu beaucoup de ses secrets à l'ère du microscope électronique et des endoscopes – assez fins pour examiner l'intérieur d'un utérus féminin. D'ailleurs, comme l'a remarqué le philosophe et moraliste Meredith Michaels, le langage de l'exploration spatiale et celui de l'embryologie humaine se rejoignent inévitablement : « Le blastocyste a débarqué ! » a titré le journal *Life*.

Ces images nouvelles ont bouleversé notre façon de considérer nos débuts dans la vie. Elles ont permis aux futurs parents, et aux autres, de pénétrer dans le monde caché de la procréation ; elles leur ont donné un premier aperçu de ce qui arrive quand deux cellules fusionnent, puis se divisent encore et encore pour former un nouvel être humain. Au fil du développement du fœtus, une imagerie de plus en plus raffinée a révélé un monde profond et magnifique – moitié intersidéral, moitié sous-marin –, où de minuscules voyageurs cosmiques flottent dans des eaux salées en suçant leur pouce.

C'était palpitant et vivifiant, à l'heure où toute une génération cherchait les symboles et la connaissance intime de sa propre création, autant que de celle de ses enfants.

Les images que nous voyions alors racontaient la biographie d'un fœtus, mais pas son autobiographie – son expérience intime vécue de l'intérieur. Aussi admirable que fût notre compréhension de ce qui se passait pour le bébé, la vision de ce qui se déroulait vraiment – la sculpture d'un être humain cellule par cellule, tissu par tissu – restait inaccessible. Jusqu'à aujourd'hui.

Comme le prouvent les photographies de ce livre, les récents progrès de la science et de la technologie ont largement accru notre aptitude à scruter l'intérieur du corps et à montrer les premiers jours d'une vie humaine qui s'épanouit, de la conception à la naissance. Pendant que les biologistes décodaient les bases moléculaires de la vie, les informaticiens développaient les techniques tridimensionnelles d'exploration et d'imagerie du corps, capables d'isoler un appareil (système nerveux, squelette, appareil circulatoire) et de nous le montrer jusqu'au niveau moléculaire.

Que vit le bébé que je porte ?

Hier, la réponse aurait pu être : « Bienvenue sur la face cachée de la Lune. »

Aujourd'hui, nous sommes en mesure de dire : *Ouvrez grand les yeux !*

Les premiers écrits sur les thèmes combinés du sexe, de la science et de la reproduction (précurseurs précieux de ce livre) remontent à près d'un siècle ; *Le Guide de l'enfant sur les choses de la vie,* publié aux États-Unis en 1911, n'est toutefois pas un simple livre pour enfants. Son auteur, le zoologiste Edwin T. Brewster, formé à Harvard, a déjà beaucoup écrit sur des sujets scientifiques et souhaite fournir à ses jeunes lecteurs une vision moderne du commencement de la vie. La modestie et la pudeur lui interdisant d'évoquer les réalités humaines, il parle des étoiles de mer et des oursins. Car l'embryologie humaine reste un terrain vierge, en grande partie interdit. Mais quelques biologistes et médecins ayant commencé à explorer les stades précoces de la vie, Brewster explique en termes simples ce qu'ils lui ont – ou non – appris :

« Ainsi, nous ne sommes pas faits comme une maison en bois ou en béton, mais comme une maison en briques. Nous sommes constitués de petites briques vivantes. Nous croissons lorsque ces petites briques vivantes se divisent en demi-briques qui grossissent à leur tour en briques entières. *Mais personne n'a encore découvert avec précision comment les*

briques savent où et quand croître rapidement, où et quand croître lentement, où et quand ne pas croître du tout. » [C'est nous qui soulignons.]

À présent, faisons un bond de quatre-vingt-dix ans pour revenir dans le présent, où un obscur biologiste d'un laboratoire de l'Université du Wisconsin, James Thomson, prend soin des cellules d'un embryon humain de quatre jours à cultiver dans une éprouvette. Depuis les années 1970, les scientifiques savent « immortaliser » les cellules humaines en les contraignant à se diviser sans fin en dehors du corps humain. Mais quelles cellules Thomson a entre les mains ! Ses « petites briques vivantes » – des cellules de germe embryonnaire – possèdent une capacité infinie à se transformer en plus de deux cents autres types de cellules qui, reproduites des millions de milliards de fois et travaillant avec une époustouflante harmonie, constituent un être humain. Ces unités microscopiques possèdent tous les éléments de réponse à la question permanente de Brewster : comment font les êtres vivants pour savoir où, quand et comment se construire eux-mêmes ?

C'est le miracle suprême de la vie. Brewster a acquis une notoriété tardive pour avoir invité ses jeunes lecteurs à y réfléchir à un moment où les outils les plus avancés pour comprendre les mystères élémentaires de la vie étaient, rétrospectivement, primitifs et grossiers : le microscope optique et les rayons X. Il ne pouvait déjà plus s'empêcher d'admirer la façon dont une sphère parfaite de cellules s'allonge soudain, se retourne sur elle-même, s'étire, se courbe et se façonne en formes vivantes élaborées. Partant de la conception – le mélange, encore jamais vu alors, de deux filaments d'informations chimiques –, cette transformation défie l'imagination.

À propos des œufs de l'étoile de mer, Edwin T. Brewster écrivait :

« Chacun voudrait peut-être voir le mélange de semence et de gelée se transformer graduellement en étoile de mer. Au lieu de cela, la petite forme ronde comme un ballon se divise carrément en deux et donne deux petits ballons identiques qui restent côte à côte. [...] Environ une demi-heure plus tard, chacun de ces ballons ou bulles – les cellules, comme on les appelle depuis peu – s'est divisé à nouveau : il y en a maintenant quatre. Les quatre cellules sont bientôt huit, puis seize. Au bout de quelques heures, elles sont des centaines, toutes minuscules et agglutinées entre elles ; elles ressemblent ainsi à un amas de ces bulles que l'on fait en soufflant dans de l'eau savonneuse... »

Bien entendu, ce n'est qu'un début, un prélude. Les métamorphoses les plus spectaculaires se produisent, comme Brewster l'a décrit, dans les semaines suivantes :

« Si cet animal fonctionne comme nous, la substance du corps, avant de devenir un corps, est une balle ronde. Puis un sillon se creuse le long du futur dos et devient la moelle épinière. Une corde se tend juste au-dessus et devient la colonne vertébrale. L'extrémité antérieure de la moelle épinière grossit et grandit plus vite que le reste, elle devient le cerveau. Le cerveau donne deux bourgeons externes, les yeux. La surface externe du corps, qui n'est pas encore la peau, donne deux bourgeons internes : les oreilles. Quatre protubérances naissent du front pour construire le visage. Les membres apparaissent sous forme de renflements et croissent lentement pour donner les bras et les jambes... »

Écrivant pour des enfants de moins de dix ans, à une époque où les biologistes savaient mieux décrire les choses que les expliquer, Brewster pourrait être critiqué pour simplification abusive : petites briques vivantes, bulles de savon, sillons, corde, renflements. Mais aujourd'hui encore, il y a quelque chose d'élégant et de visionnaire dans chacune de ses descriptions : il semble avoir perçu une sorte d'infrastructure divine, quelques-unes des lois physiques qui dirigent la construction d'un homme et que les biologistes modernes comme Thomson ont à peine commencé à comprendre.

En réalité, la science a montré que nous sommes construits comme des immeubles, bien que les modèles auxquels nous ressemblons soient infiniment plus majestueux que le plus haut des gratte-ciel. Un immeuble se construit à partir du sol, par l'assemblage de différents matériaux apportés d'ailleurs. Les individus, comme tous les êtres vivants, se construisent de l'intérieur et peu à peu.

Imaginez que vous soyez le plus haut gratte-ciel du monde, construit en neuf mois à partir d'une seule brique. Lorsque cette brique « germinale » se divise, elle produit tous les autres types de matériaux nécessaires à la construction et au fonctionnement de cette tour géante : un million de tonnes d'acier, de béton, de mortier, de matériaux isolants, de tuiles, de bois, de granit, de solvants, de tapis, de câbles, de tuyaux et de verre, ainsi que le mobilier, l'équipement téléphonique, les centrales de chauffage et de climatisation, la plomberie, le réseau électrique, la décoration et le réseau informatique avec ses logiciels. Cette première brique et ses descendantes savent exactement quelle quantité de chaque élément fabriquer, où l'envoyer, quand et comment l'assembler.

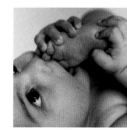

Imaginez maintenant que, une fois terminé, cet immeuble soit capable d'aimer, de haïr, de parler, de composer des symphonies et d'avoir des relations physiques enchanteresses avec les autres tours, dont le premier résultat serait de produire de nouveaux immeubles encore plus élaborés que lui-même.

Comment cela se produit-il ? Nous savons que, comme tout l'univers, et pas seulement les autres immeubles, nous sommes constitués de molécules – un mélange d'énergie et de matière qui ne possède rien de ce qu'on appelle la vie. *Qu'est-ce qui dirige nos molécules ?*

La science a commencé à répondre à cette question. Entre *Le Guide de l'enfant* de Brewster et les honneurs rendus à James Thomson en couverture du *Time* en août 2001, l'une des plus grandes découvertes en biologie a été de comprendre que ce sont des molécules qui en incitent d'autres à construire un être humain. Toutes les cellules vivantes contiennent principalement deux types de molécules organiques : les acides nucléiques et les protéines. Les acides nucléiques – qui forment les gènes – transmettent les instructions nécessaires aux cellules pour fonctionner et se reproduire ; autrement dit, la totalité des plans de l'immeuble. Les protéines font le travail, montent les échafaudages, coupent ici ou là, multiplient les combinaisons, fabriquent d'autres protéines. L'intérieur de chaque cellule est un univers – un nouveau gratte-ciel – où foisonnent dix millions de protéines impliquées dans dix millions de réactions chimiques complexes par seconde. Pendant ce temps, à la surface de la cellule, d'autres molécules échangent des informations et interagissent avec les molécules de surface des autres cellules. Ainsi se définit le vivant, qui se différencie du non-vivant par la capacité la plus accomplie de toutes : se reproduire.

« Les molécules sont le langage naturel de la cellule », affirme l'embryologiste L. Wolpert. Chacun d'entre nous est comme un immeuble, mais un immeuble qui se reproduit. Et bien plus que cela, nous sommes des machines à reproduire. Nous nous reproduisons parce que nos cellules se reproduisent. Tout en nous semble destiné à se reproduire, tout le temps. W. Whitman appelait cela la « pulsion créatrice de l'univers ». C'est pour cela que nous aimons la vie, nos enfants et la sexualité.

LE DESSEIN DE LA NATURE

Comme toutes les grandes constructions ou machines, le fœtus associe une architecture raffinée à un fonctionnement astucieux.

Cela commence à la conception. Il est nécessaire, lorsque l'on « veut » un bébé, de réunir les gènes d'un homme et d'une femme, gènes enfermés dans des cellules spécialisées du corps humain. Il est donc indispensable – ou était, depuis l'avènement de la procréation artificielle – d'amener deux corps sexuellement matures à un contact intime. Que se passe-t-il alors ? Un regard éloquent, un verre de bon vin, un parfum séduisant… Les chercheurs qui étudient la sueur y ont isolé des sécrétions chimiques appelées phéromones, qui dévoilent notre maturité et notre disponibilité sexuelles.

Faisons le point : nos ovules et nos spermatozoïdes ont besoin de fusionner pour que nos gènes se combinent. La montée du désir et la levée des inhibitions est le plus sûr moyen d'améliorer les chances  que ces événements se produisent chez les humains. Pendant les neuf mois suivants, et bien sûr pendant toute la vie, les instruments et les processus de la procréation sont optimisés en parallèle. Donner des gènes masculins aux gènes féminins ? Pas de problème. Un homme adulte et sain produit plusieurs centaines de millions de spermatozoïdes par jour. La puissance de l'éjaculation est généralement suffisante pour les propulser jusqu'à mi-chemin de leur objectif, chacun étant doté d'une réserve d'un glucide rare, carburant nécessaire pour le reste du parcours. En pénétrant dans la célèbre zone pellucide, le subtil mélange de sucre et de protéines assiège l'ovule mature comme une citadelle. Les molécules de surface de la tête du spermatozoïde sont programmées pour viser spécifiquement les sites récepteurs ou portails moléculaires sur la zone pellucide. Celle-ci absorbe un seul spermatozoïde et repousse tous les autres.

Une fois l'œuf fécondé, la situation se recrée d'elle-même avec une complexité croissante. Des messages chimiques informent instantanément le cerveau du succès de la pénétration. Les molécules parlent aux molécules, les cellules aux cellules, les organes aux organes. Les systèmes de rétrocontrôle délivrent une giclée d'hormones spécialisées, de sécrétions fugaces, et de fines contractions musculaires aident l'ovocyte fécondé à progresser vers l'utérus. À l'inverse des œufs de l'étoile de mer de Brewster, l'ovocyte, comme on l'appelle, n'est pas pressé. Pendant les trois ou quatre premiers jours, il se divise ou se segmente brusquement une fois par jour, pour devenir lentement une boule compacte de douze à seize cellules qui se creuse. Cette minuscule sphère, l'amas de bulles de savon de Brewster, se prépare parfaitement aux divisions complexes à venir.

À la fin de la première semaine, l'œuf se colle à la paroi utérine par son extrémité la plus épaisse. L'utérus « sait-il » ce qui s'est passé ? Certainement.

Le système immunitaire humain est programmé pour faire la distinction entre les molécules du « soi » et celles du « non-soi » qu'il doit détruire. Le blastocyste, qui mesure moins d'un quart de millimètre – un point à peine visible à l'œil nu –, se comporte comme un parasite et s'enfouit dans la muqueuse utérine. L'utérus, qui avait dans un premier temps proliféré pour engloutir l'embryon et sélectionné les globules blancs pour le rejeter, devient brusquement réceptif et même consentant. Ses vaisseaux sanguins se gorgent de sang nutritif et bien oxygéné, ses tissus délimitent une zone réservée à l'envahisseur. Puis, alors que l'embryon creuse et perfore sur son chemin la fine paroi des vaisseaux maternels, la muqueuse utérine gorgée de sang libère un glucide qui sera sa première nourriture. Dès ce moment, l'embryon se nourrit lui-même et commence à croître à une vitesse étonnante, doublant sa taille chaque jour. Avant que la femme se sache enceinte, la relation fondamentale entre elle et l'enfant est déjà forgée.

Pour comprendre ce qui se passe ensuite – le bourgeonnement de l'embryon –, souvenez-vous des descriptions que Brewster nous a livrées il y a une centaine d'années. Comment ce point minuscule prend-il forme et donne-t-il un être humain embryonnaire ? Comment les sillons deviennent-ils une moelle épinière, et les renflements des vertèbres ? Comment les descendantes d'un paquet de cellules embryonnaires savent-elles devenir une paupière ? En d'autres termes, comment une demi-brique sait-elle devenir une poutre d'acier ou une rambarde au cent-cinquantième étage ?

LES OUTILS DE LA CONSTRUCTION

La réponse scientifique commence par un phénomène appelé gastrulation, qui se produit chez tous les animaux. Brusquement, quelques jours après la nidation de l'œuf, les cellules agglutinées commencent à se disposer autrement et à migrer. Avec une coordination et une vitesse étonnantes, les plaques de cellules glissent les unes sur les autres, certaines allant vers l'intérieur, d'autres vers l'extérieur, les unes vers le haut, les autres vers le bas, jusqu'à la formation de trois couches : une couche externe ou ectoderme, une moyenne ou mésoderme, et une interne ou endoderme. À partir de ces positions, les cellules commencent à changer, à se différencier en blocs, pour former des tissus ou des organes spécifiques. La couche externe produit les cellules de la peau et du système nerveux, la couche interne les muqueuses du tube digestif et ses organes annexes, tel le foie. La couche moyenne commence à produire les cellules qui deviendront le cœur, les reins, les gonades, les os, les muscles, le sang et le reste des viscères.

Une fois ces couches mises en place, les cellules interagissent rapidement les unes avec les autres, s'organisant peu à peu en ensembles complexes, les organes. Certains embryologistes portés à la poésie comparent ce phénomène à l'origami, l'art japonais du papier plié. Les règles qui permettent de modifier un objet de papier tiennent en deux mots : pliage et dépliage. Personne n'imagine pouvoir réaliser un dragon ou un minotaure à partir d'une simple feuille plate. Mais par pliages et pincements successifs, il est possible de parvenir aux formes les plus élaborées. L. Wolpert est souvent cité pour avoir dit que « ce n'est pas la naissance, le mariage ou la mort mais la gastrulation qui est réellement l'événement le plus important de notre vie ». Il a raison. Quoi que nous devenions, notre destinée la plus magnifique dépend entièrement de cette stratification précoce des cellules.

Il suffit de trois à six semaines pour établir le plan corporel de base. La boule de cellules, qui mesure encore moins de 0,25 millimètre de diamètre, se courbe pour former une minuscule virgule en forme de C. Bientôt, comme l'a observé Brewster, un sillon se creuse le long du dos, puis se referme sur lui-même pour former un tube. Partout dans l'embryon, des cellules filamenteuses se réunissent pour former les nerfs, lesquels se connectent à travers le tube à une protubérance au sommet de la virgule, l'ébauche du cerveau. Deux fentes étroites et profondes se creusent au sommet de la tête, les yeux primitifs. Pour fournir l'énergie nécessaire à cette prolifération cellulaire rapide, un système circulatoire rudimentaire se déploie. Une nouvelle fois, la réussite réside dans la forme et la structure, comme pour les molécules. Un autre tube de nouvelles cellules, très élastiques, prend forme dans la région inférieure de l'embryon. Celles-ci possèdent une remarquable capacité à se  contracter et à se relâcher. Trois semaines après la conception, elles s'enroulent pour former une boucle en S et entament le pompage des cellules saturées d'oxygène et d'éléments nutritifs, pour les envoyer vers les autres tissus. Un cœur humain commence à battre.

Pliages et enroulements incessants se produisent partout, à toute vitesse. Entre six et sept semaines, de petits renflements sur les flancs de l'embryon s'allongent en bourgeons des membres. Avec la prolifération  de nouveaux neurones, au rythme étourdissant de cent mille par heure, la tête grossit rapidement. Les ébauches oculaires se creusent, la région du nez se bombe, les membres supérieurs se forment. Là où n'existait un mois plus tôt qu'un amas de cellules arrondies, émerge maintenant un visage identifiable, pas très différent de celui d'un poussin, mais un visage quand même. L'embryon pèse à peu près le poids d'un raisin sec. Bientôt apparaissent les stries des futurs doigts et les mamelons.

Puis soudain, vers huit semaines, le tourbillon effréné des cellules cesse aussi rapidement qu'il avait commencé. Si tout s'est déroulé avec succès, ce qui est souvent le cas, l'embryon encore sans conscience ressemble déjà à un être humain. La tête, plus ronde, représente environ la moitié de la longueur

totale du corps, lequel mesure près de 4 centimètres et pèse environ 30 grammes. Bientôt, les paupières et les pavillons des oreilles sont formés. La queue primitive disparaît, et avec elle la ressemblance avec les autres espèces. Le foie, les reins, les poumons et le tube digestif sont identifiables.

Dans sa forme, mais sans caractères personnels, l'embryon est maintenant complet. Il porte désormais un autre nom pour marquer la différence : le fœtus.

Il reste beaucoup à faire, bien entendu. Le fœtus doit s'étoffer, et les proportions de son corps doivent changer pour préparer la vie en dehors de sa mère. Mais dans un sens, la structure est complète. En sachant « où et quand croître rapidement, où et quand croître lentement, où et quand ne pas croître du tout », le gratte-ciel s'est construit lui-même.

Mais comment a-t-il fait ? De Brewster aux biologistes modernes comme James Thomson, cela reste la question clé, celle qui résume toutes les autres.

VOIR L'INTIME

Nous vivons une époque remarquable. La génétique et les recherches sur la fécondité nous ont appris depuis quelques décennies comment se conçoit un bébé. L'embryologie et la biologie du développement nous apprennent aujourd'hui comment il se construit. Ajoutez à cela les récents progrès de l'exploration du corps humain – qui plonge à l'intérieur des structures secrètes des organes, des tissus, des cellules et même des molécules, comme si nous étions nous-mêmes réduits à la taille d'un atome –, et nous devenons les témoins visuels de zones que nous ne pouvions guère imaginer auparavant.

Peut-être vous demandez-vous comment tout cela est possible : comment voir *à l'intérieur* d'objets trop petits pour être vus ? La plupart des images de ce livre ne sont pas des photographies, car cette technique ne peut traverser la surface des choses. Ce sont des images composées du mariage des puissantes techniques d'imagerie médicale et d'un art passionné. Les technologies de base sont devenues familières : le scanner et l'IRM, ainsi que les logiciels de traitement de la photo. Désormais combinées, elles mettent en lumière un monde caché. Un embryon de la taille d'un petit pois, par exemple, est scanné de la tête aux pieds, et les informations sont conservées. Comme les données révèlent des différences de densité (le cartilage est plus dense que le foie, lui-même plus dense que le sang), il est possible avec un bon logiciel de différencier un organe, une cellule et même un atome d'un autre. Grâce à d'autres techniques informatiques, un artiste talentueux peut isoler n'importe quelle cible, l'embellir, décaper sa surface pour la rendre transparente, la tourner pour la voir sous tous les angles, y ajouter du relief, des ombres et la coloriser jusqu'à ce que ses caractères essentiels apparaissent, en trois dimensions.

Que vit le bébé que je porte ? Entre ce que les artistes scientifiques ont suggéré sur le corps humain depuis Léonard de Vinci et ce que nous voyons aujourd'hui grâce à ces images de pointe, nous devrions plutôt nous demander : *Que ne vit-il pas ?*

La conception

REPRODUCTION

GÈNES

FÉCONDATION

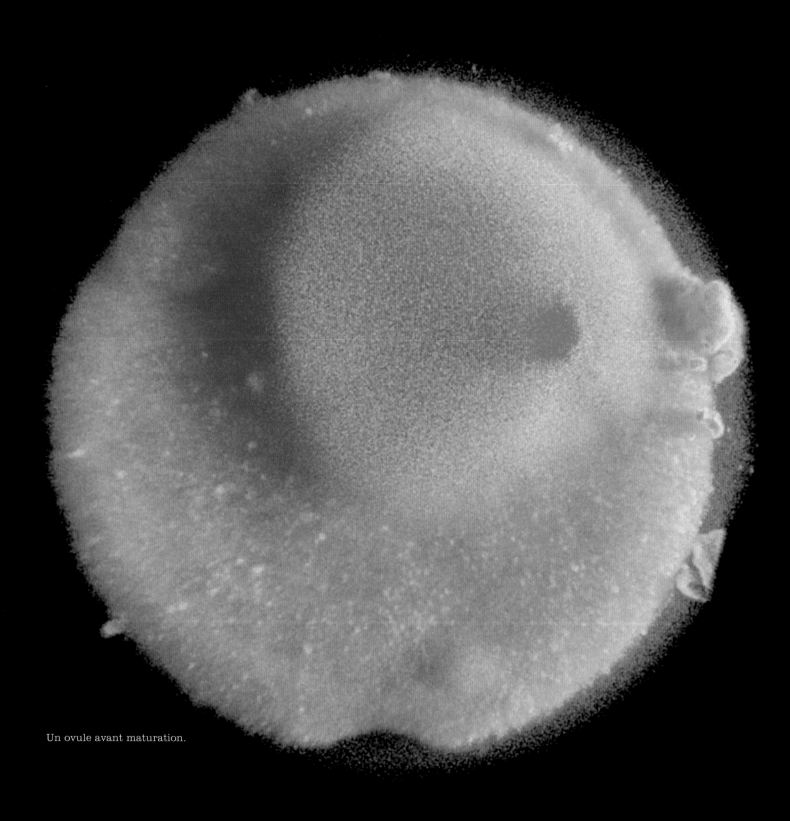

Un ovule avant maturation.

01

La création d'une vie

Quoi de plus fascinant et de plus merveilleux que la conception d'un être humain ? Un enfant jaillit littéralement de ce que D. H. Lawrence appelait « la conscience de la lignée, la conscience de la nuit des temps », la sexualité. Il n'est pas étonnant que l'Antiquité ait attribué aux dieux le pouvoir de créer la vie.

Les hommes ont toujours essayé d'expliquer l'origine de la vie humaine par des termes appropriés, des mots qui reflétaient ce qu'ils comprenaient du monde environnant. Les anciens Celtes priaient les cigognes supposées recueillir les âmes des enfants dans les marais et les champs pour les déposer dans les familles chanceuses. Ils justifiaient les grossesses non désirées en disant que les oiseaux les avaient surpris, se glissant furtivement une nuit pour leur laisser un enfant.

Parmi tant de fables sur la procréation, l'hystérie qui suivit la découverte des cellules sexuelles masculines, en 1677, apporta une touche particulière. Le microscope, qui venait d'être inventé, donnait aux savants la première vision d'éléments trop petits pour être vus par l'œil humain, et certains d'entre eux, appelés à témoigner, exprimèrent à la fois admiration et colère. Antonie van Leeuwenhoek, le père de ce nouveau champ de recherche, déclara qu'il avait vu dans la semence d'un patient atteint d'une maladie vénérienne des « animalcules », de minuscules hommes et femmes repliés sur eux-mêmes et enfermés dans des capsules translucides, comme « une petite arachide dotée d'une longue queue ». « Un million d'entre eux mis bout à bout n'atteindraient pas la taille d'un gros grain de sable. »

La réaction immédiate fut extrêmement passionnée. Certains érudits étaient désorientés par l'idée que tant de spermatozoïdes puissent participer à la formation d'un seul être humain, d'autres étaient outrés par la mort sans raison de tant de créatures de Dieu si, comme on l'affirmait, un seul d'entre eux était responsable de la fécondation de la femme. Finalement s'installa la conviction que l'animalcule était la graine, et la femme le terreau dans lequel une nouvelle vie s'implantait. Les propriétés de l'animalcule déterminaient celles du bébé, dont le sexe. Cette conviction resta un dogme scientifique durant cent cinquante ans, jusqu'à ce que l'on découvrît que les cellules sexuelles féminines existent aussi.

On ne comprenait pas, cependant, comment ces deux cellules, lorsqu'elles fusionnaient, produisaient un nouvel organisme, un enfant. Les savants croyaient qu'une forme d'énergie vitale était impliquée, mais le mécanisme précis restait un mystère.

Un moine morave – dévoré par la récente mode européenne de la culture des fleurs –, Gregor Mendel, commença à réaliser des expériences de reproduction des plantes. En croisant différentes variétés de pois, il montra que les caractères d'un descendant reflétaient les traits de ses deux parents. En étudiant plusieurs générations successives, il prouva ensuite que des règles dirigeaient la transmission des traits individuels. Il parvint finalement à prédire une série de caractères avec une certitude mathématique. Il avait découvert les lois de l'hérédité. Ses résultats se confondirent bientôt avec ceux du naturaliste anglais Charles Darwin, qui avait établi la théorie selon laquelle ce ne sont pas seulement les individus, mais l'espèce tout entière qui est impliquée dans la reproduction. Nul ne parlait de reproduction sexuelle en soi, et travailler sur des embryons humains était impensable. Toutefois, il émergeait désormais une compréhension scientifique moderne de la reproduction humaine.

Un spermatozoïde peut survivre jusqu'à 48 heures. Il met environ 10 heures pour remonter les voies génitales féminines, traversant le vagin, le col de l'utérus et l'utérus jusqu'aux trompes de Fallope où se produit la fécondation.

L'hérédité : un nouvel être se forme lorsque les gènes maternels et paternels fusionnent. L'enfant possède désormais un matériel génétique qui reflète non seulement celui de son père et de sa mère, mais aussi celui de ses grands-parents et arrière-grands-parents.

Mais quel en était le mécanisme ? Comment cela fonctionnait-il ? Ces questions préoccupaient les savants du début du XXᵉ siècle qui cherchaient à résoudre les mystères de l'univers – non seulement les biologistes, mais aussi les physiciens et les mathématiciens, qui révolutionnaient toute la science en explorant l'atome. En 1943, un physicien autrichien exilé à Dublin, Erwin Schrodinger, commença à faire des conférences et à écrire des articles pour répondre à la question : « Qu'est-ce que la vie ? » Schrodinger eut l'intuition cruciale que l'hérédité devait être stockée au niveau moléculaire, autrement dit qu'elle était véhiculée par de petits groupements d'atomes.

Le soupçon se porta rapidement sur les acides nucléiques, ces molécules complexes enfermées dans le noyau de chaque cellule. Comme ils avaient désormais compris que les possibilités d'une molécule étaient liées à sa structure, les savants se mirent à la recherche d'une architecture capable d'expliquer le fonctionnement des gènes. Si ce n'étaient pas de petits hommes repliés dans le spermatozoïde, de quoi s'agissait-il ? À quoi ressemblaient les véhicules matériels de la vie ?

« Trop beau pour ne pas être vrai », tel fut le verdict enthousiaste de James Watson, l'un des inventeurs de la réponse : l'ADN est une échelle enroulée en spirale qui peut s'ouvrir par le milieu pour se copier elle-même. L'histoire de la découverte de la structure de l'ADN par James Watson, ancien étudiant en ornithologie de vingt-trois ans, et Francis Crick, ancien physicien, est devenue un mythe aussi durable que celui de Prométhée volant le feu sur l'Olympe. Cette découverte réglait la question de nos origines : nous venons de nos gènes. Comme Watson lui-même l'avait annoncé avec audace un après-midi de l'hiver 1953 à l'Eagle Pub de Cambridge, il avait – avec Crick et leur collaboratrice moins connue Rosalind Franklin – enfin « découvert le secret de la vie ».

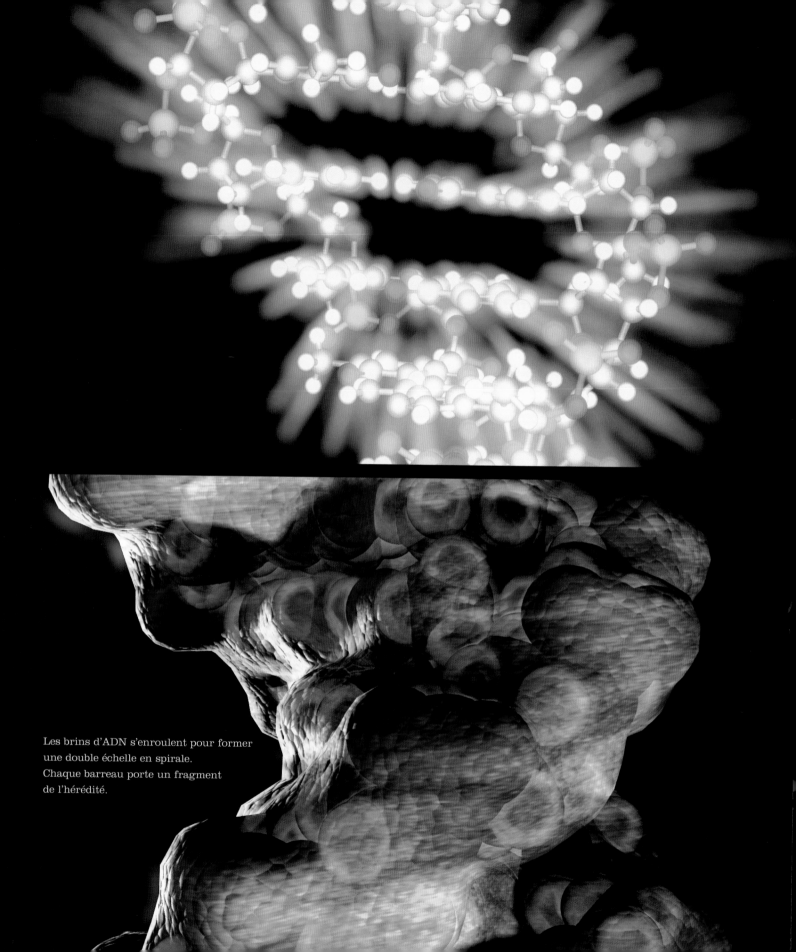

Les brins d'ADN s'enroulent pour former une double échelle en spirale. Chaque barreau porte un fragment de l'hérédité.

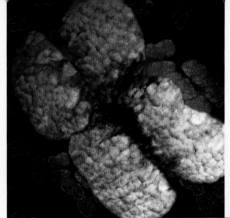

L'HÉRÉDITÉ

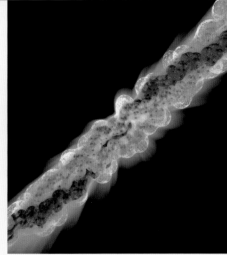

Quelles que soient nos différences, nous avons tous un point commun : nos ancêtres sont des survivants. Génération après génération, tous nos aïeux ont survécu au moins jusqu'au début de l'âge adulte, où ils se sont accouplés et ont eu des enfants à leur tour. Du point de vue génétique, c'est une excellente nouvelle. Lorsque nous prévoyons une grossesse, nous pouvons être sûrs que les chances de survie de notre enfant sont en général excellentes, conformément à l'héritage de réussite légué par nos ancêtres.

Cela ne signifie pas que nous ne sommes que le produit de nos gènes, mais que nous débutons dans la vie avec l'avantage d'une solide lignée d'élite, et que les gènes dont nous héritons ont été, en grande partie, transmis par les individus qui étaient, à leur époque, les mieux équipés pour survivre et se reproduire. Comme le dit le socio-biologiste Richard Dawkins : « Ils avaient ce qu'il fallait pour devenir des ancêtres. »

Maintenant qu'à notre tour nous allons devenir des ancêtres, nous pouvons légiti-mement nous inquiéter de ce que nous transmettrons. Nos enfants nous ressem-bleront-ils – ainsi qu'à leurs grands-parents et arrière-grands-parents –, non seulement dans ce qui nous rend solides, compétents et légitimement fiers, mais aussi dans le reste ? Par ailleurs, si nombre de prédispositions génétiques peuvent nous marquer, nous sommes beaucoup trop complexes, nous résultons trop des expériences et des événements de la vie pour être totalement programmés par l'ADN.

Nos chromosomes portent néanmoins des instructions de construction, non pour nous en tant qu'individu, mais pour le magnifique assemblage de structures capable de le devenir. Comme l'écrivait E. B. White : « L'hérédité est un facteur puissant, même en architecture. La nécessité nourrit l'invention. L'invention a maintenant ses propres filles, et celles-ci ressemblent à leur grand-mère. »

Ci-dessus, à gauche
Le chromosome est une structure torsadée qui véhicule notre code génétique.
Chaque cellule saine du corps humain possède 46 chromosomes répartis en 23 paires.

Ci-dessus, à droite
Une protéine de collagène.
Les protéines sont indispensables à la croissance et à la régulation des réactions chimiques essentielles. Le collagène est l'une des protéines les plus courantes. Celle que nous voyons ici abonde dans les cheveux, la peau et les yeux.

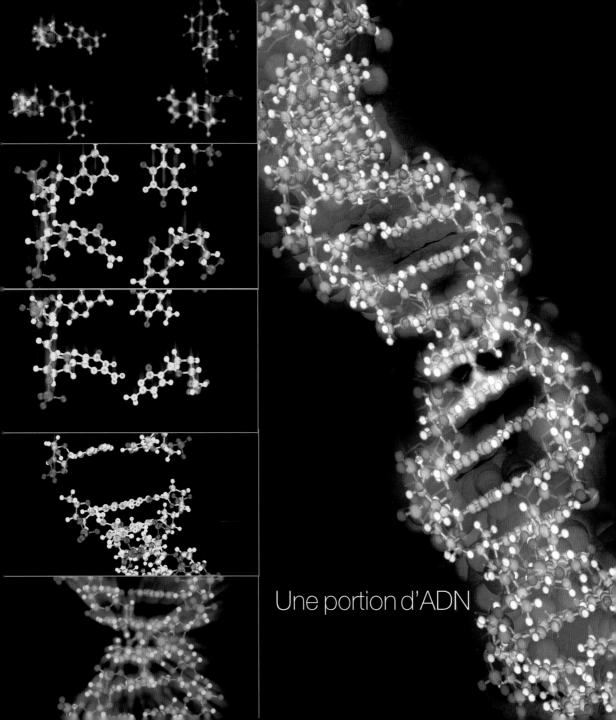

Une portion d'ADN

Le plan d'une nouvelle vie
L'ADN

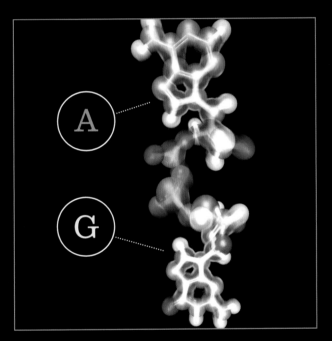

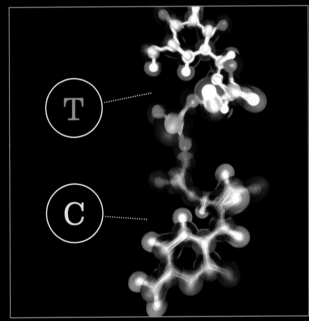

L'HÉRÉDITÉ

La séquence montrée page de gauche démonte un barreau de matériel génétique contenant les 4 nucléotides à l'origine de toute vie. Ces structures moléculaires représentent fondamentalement tout ce que nous sommes et ce qui permettra de construire un enfant.

LES PROGRAMMES DE LA VIE

Notre ADN est constitué de 4 éléments appelés nucléotides : l'adénine (A), la cytosine (C), la guanine (G) et la thiamine (T).

LE PÈRE

Les organes sexuels masculins ne sont pas faits pour inspirer la jalousie. Prenez le pénis – « un quémandeur ridicule », comme l'appelait l'écrivain W. Gass. « Il est si peu fiable, bien que tout dépende de lui : le monde repose sur lui comme un ballon sur le nez d'un phoque. Si facilement fatigué, outragé, trahi, délaissé, il prétend pourtant être invulnérable, l'arme qui procure des pouvoirs magiques à celui qui le possède. »

Le grand programme de la reproduction humaine ne pourrait désirer une anatomie mieux adaptée, comme il ne pourrait rêver un appareil génital féminin plus parfait et complémentaire. Dans nos organes sexuels, tout est optimisé pour assurer le succès de la fusion entre l'ovule et le spermatozoïde.

Chez l'homme, l'énergie coordonnée de plusieurs glandes et organes garantit la réussite maximale d'émission d'ADN sain pendant un rapport. Les spermatozoïdes sont fabriqués dans les testicules, deux glandes ovoïdes suspendues dans le scrotum, sous le pénis. Situés à l'extérieur parce que la température interne du corps est trop élevée pour permettre la production de sperme, les testicules pendent de manière asymétrique (pour ne pas se cogner l'un l'autre pendant les mouvements) et flottante (les muscles du scrotum agissent comme un thermostat, faisant monter et descendre les testicules pour réguler leur température). Pendant les dix jours que dure approximativement leur maturation, les spermatozoïdes parcourent les canaux sinueux de l'épididyme, le réservoir accolé à la tête de chaque testicule.

Puis les spermatozoïdes sont maintenus en suspension dans le canal déférent, un long tube qui relie l'épididyme à un conduit situé sous la vessie. Pendant cette période, ils se mettent au repos pour conserver toute leur vitalité : ils libèrent un peu de dioxyde de carbone, créant un milieu légèrement acide qui les paralyse provisoirement. Juste avant l'éjaculation, plusieurs glandes (la prostate, les glandes de Cooper, les vésicules séminales) libèrent des substances alcalines qui stimulent les spermatozoïdes pour leur voyage et neutralisent l'acidité naturelle du vagin. Leur mission est si précieuse que chacun d'entre eux est doté d'une réserve de fructose – un sucre très doux que le corps fabrique uniquement dans cette intention.

Et le pénis ? Parmi les mammifères, seuls les primates ont un pénis suspendu à l'extérieur du corps. Et parmi les primates, seul l'homme ne possède pas d'os pénien depuis qu'il se tient debout et marche sur ses deux jambes. Les corps spongieux et caverneux qui se gonflent de sang pendant l'érection procurent à la fois l'utile et l'agréable, ce qui encourage un usage répété. Autrement dit, bien qu'il se comporte de manière un peu absurde, le pénis s'est développé depuis l'origine de l'homme dans le but d'améliorer ses chances de reproduction.

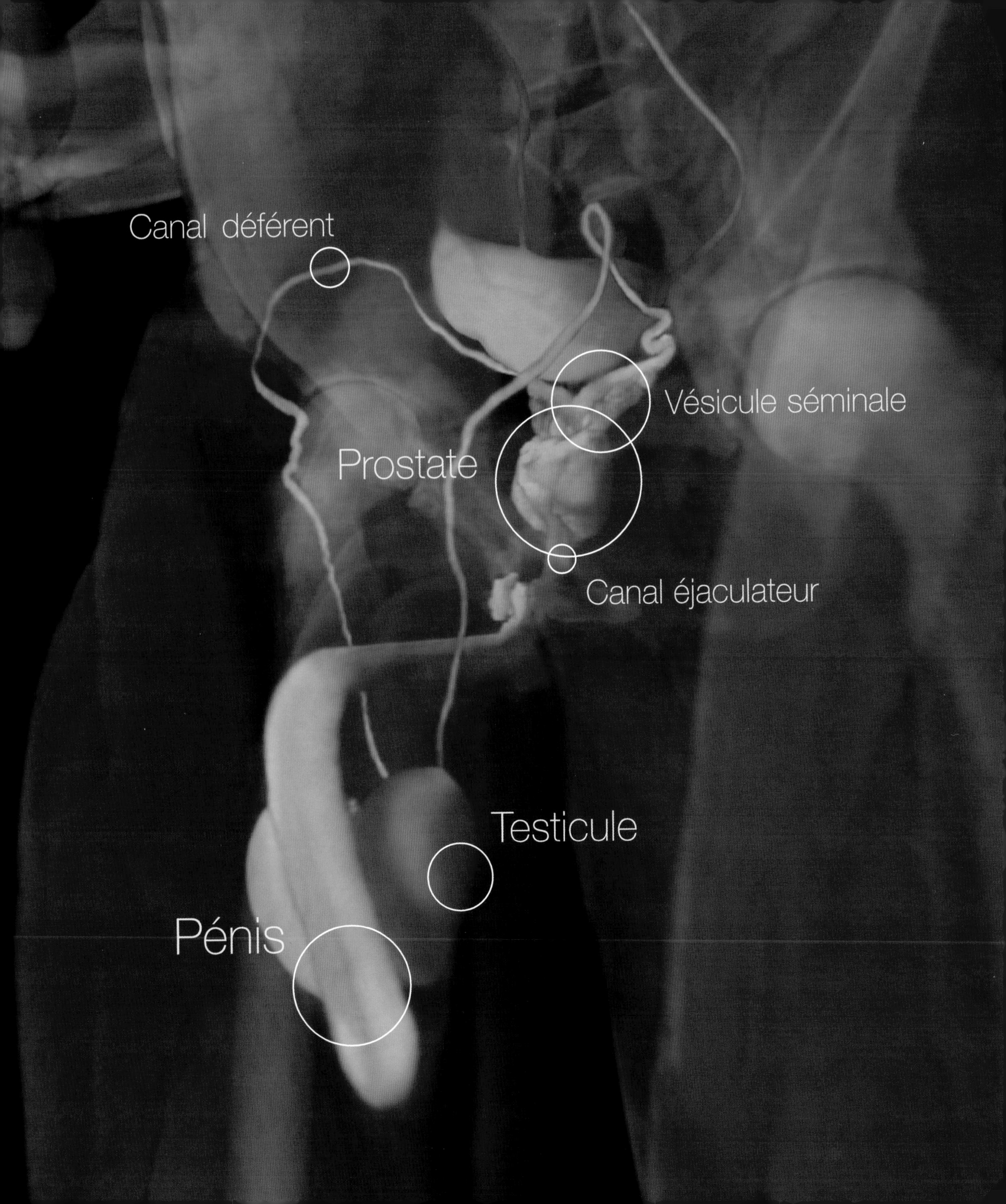
Canal déférent
Vésicule séminale
Prostate
Canal éjaculateur
Testicule
Pénis

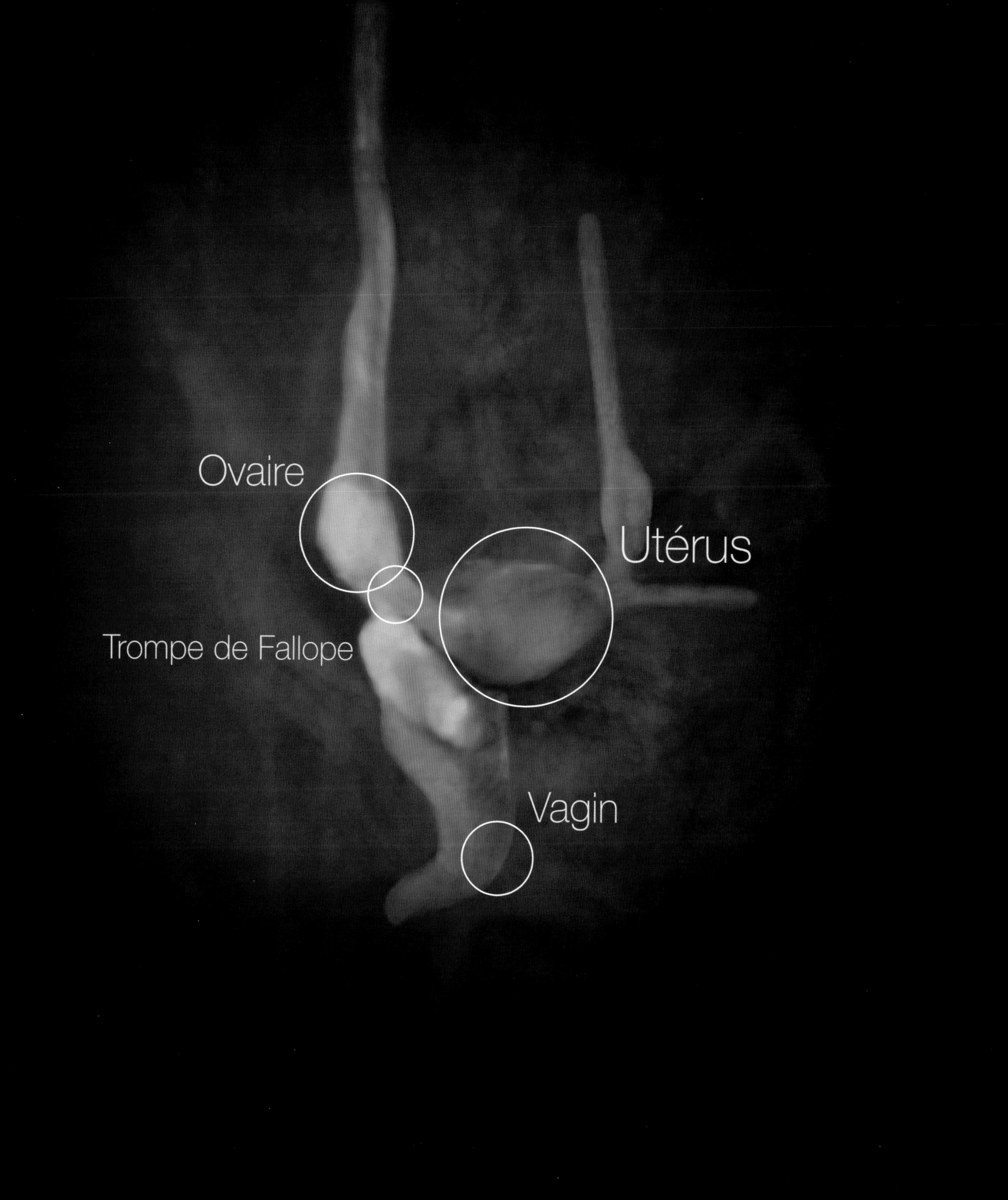

Ovaire

Utérus

Trompe de Fallope

Vagin

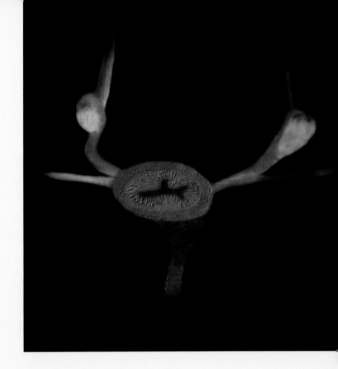

LA MÈRE

Constitué de muqueuse, de muscle et de tissu fibreux, **le vagin sert dans les deux sens :** une petite merveille astucieusement agencée, qui aide à livrer le sperme à l'ovule et qui s'adapte neuf mois plus tard à la délivrance de l'enfant. L'appareil génital féminin, dont le rôle est plus complexe et permanent que celui de l'homme, ne se suffit pas d'une simple coopération entre les organes, mais nécessite un environnement de soutien, un écosystème. Le vagin en est l'élégant vestibule.

Comme organe sexuel, le vagin est bien plus qu'un simple tunnel de 9 à 10 centimètres de long, qui s'étend de l'orifice externe (les lèvres) jusqu'au col utérin – un anneau conique de muscles qui ferme l'entrée de l'utérus. Sa conformation en fait la partie la plus mystérieuse du corps humain. Partant de l'amas adipeux – le mont de Vénus – qui protège l'os du bassin pendant les rapports, il se fend vers le bas pour découvrir les organes génitaux externes. Deux replis concentriques de tissu, les grandes et les petites lèvres, entourent l'entrée du vagin, que les premières protègent et que les secondes lubrifient. Enfoui et voilé sous le tissu fibreux et musculaire au sommet des petites lèvres se trouve un bourgeon de tissu érectile et richement innervé, le clitoris.

Chaque mois, un ovule est expulsé par l'ovaire et traverse les trompes de Fallope jusqu'à l'utérus. Si l'ovule n'est pas fécondé, les règles surviennent.

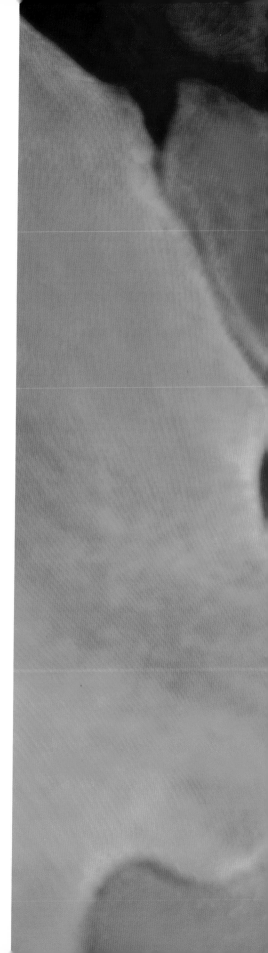

Ce dernier a récemment fait l'objet de vives controverses, dans des débats passionnés sur sa nécessité ou sa non-nécessité biologique. Les femmes, à l'inverse des hommes, peuvent procréer sans ressentir d'orgasme. Pourtant, le clitoris, de la taille d'un grain de haricot, outil majeur du plaisir féminin, renferme un faisceau de huit mille terminaisons nerveuses, soit deux fois plus que le pénis le plus impressionnant, et plus que tout autre organe superficiel du corps, y compris la langue, les doigts ou les lèvres. Il est clairement conçu pour percevoir des sensations profondes.

Derrière le col utérin se trouve le cœur de l'appareil génital, l'utérus et les ovaires. Ces deux glandes, de forme et de taille semblables à celles des testicules, sécrètent les hormones sexuelles féminines qui induisent des modifications physiologiques, comme la croissance des seins à la puberté. Elles abritent et nourrissent les follicules et les ovules qui sont expulsés une fois mûrs dans les trompes de Fallope, où ils pourront croiser les spermatozoïdes. L'œuf fécondé poursuit sa migration vers l'utérus, un organe creux et musculeux en forme de poire. C'est dans l'utérus que l'œuf fécondé devient un être vivant, qui se développe jusqu'à son inévitable expulsion à travers le vagin, trente-huit semaines plus tard, vers le monde qui l'attend impatiemment.

Après la fécondation, l'œuf migre
jusqu'à l'utérus, qui procure
protection et nourriture
au bébé pendant neuf mois,
au prix d'un étirement important.

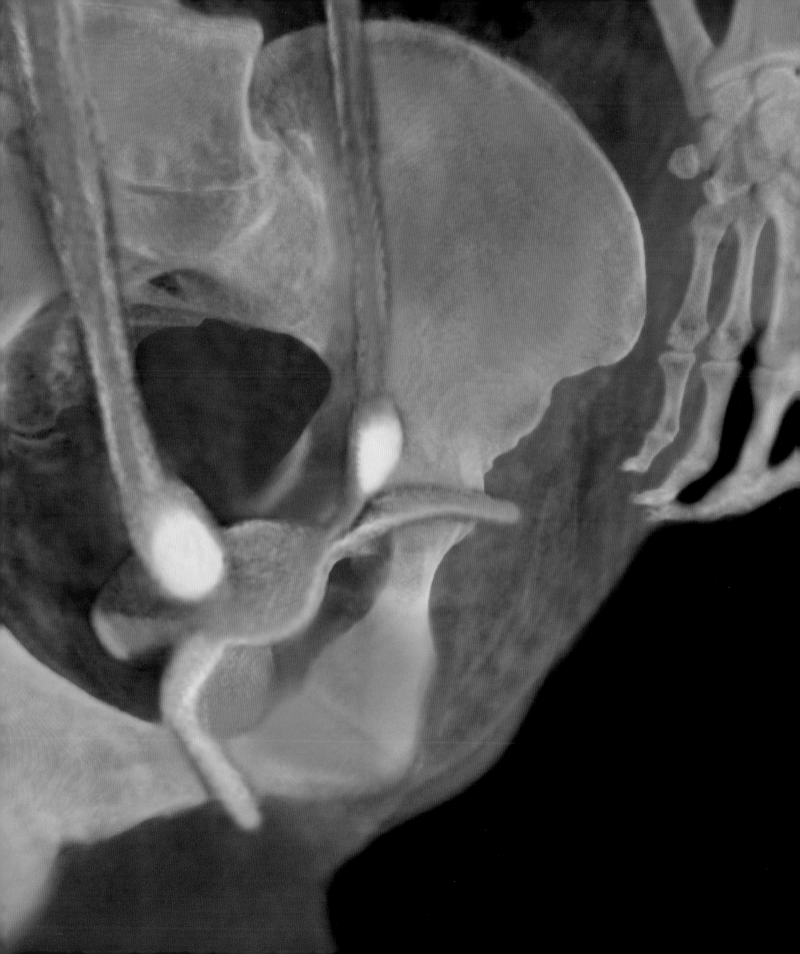

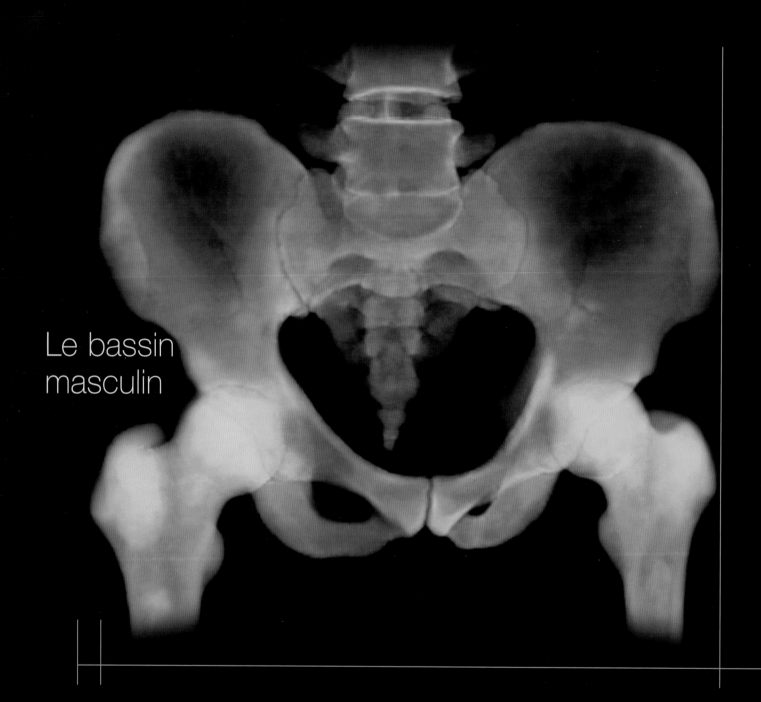

Le bassin
masculin

Destiné à porter
une vie nouvelle

Un bassin plus plat

Le bassin féminin

L'espace arrondi entre les os du bassin
est plus lâche et plus aplati chez la femme,
ce qui permet à l'utérus d'augmenter
de volume. Une autre différence notable est
l'ouverture plus large à la base du bassin.

Une articulation
pelvienne plus lâche

Parmi toutes les caractéristiques du cycle de la reproduction humaine, la longueur de nos périodes fertiles est peut-être la plus contestable. Les femmes peuvent procréer pendant au moins trente ans, les hommes presque tout au long de leur vie. On a observé que, si chaque possibilité de grossesse était concrétisée et si une femme restait globalement en bonne santé, elle pourrait devenir mère plus de trente fois.

La limitation essentielle est la maturation une fois par mois d'un seul follicule. Sur les six à sept millions d'ovocytes fabriqués pendant la gestation d'une petite fille, seuls quarante mille ne mourront pas avant la puberté. Parmi eux, à peine quatre cents surmonteront une sélection permanente et les étapes du développement jusqu'à l'expulsion.

Ce phénomène – l'ovulation – débute lorsqu'un flot d'hormones est sécrété par l'hypophyse, la glande appendue sous la base du cerveau et qui contrôle tout notre système hormonal. À l'intérieur des ovaires, chaque ovocyte niche dans sa propre loge, ou follicule. Excités par le flux sanguin d'hormone stimulante, quinze à vingt follicules commencent à sécréter des œstrogènes, l'hormone sexuelle femelle dont l'une des fonctions est de déclencher et d'alimenter le développement des ovocytes immatures. Vers le dixième jour, pour des raisons encore incomprises, un seul ovocyte est choisi pour mûrir complètement.

Quatre jours plus tard, une autre hormone stimulante est sécrétée par l'hypophyse. Les follicules actifs se fissurent et les ovocytes tombent dans le pavillon de la trompe de Fallope qui les aspire. Un peu de sang s'écoule parfois par les petites fissures, provoquant des douleurs et un léger saignement. Le contenu des follicules se dégrade et meurt, sauf le seul ovule mature qui balaie la paroi de la trompe, attendant la fécondation.

L'ovule mature est la seule cellule du corps de forme sphérique. De plus, il est entouré d'un halo de cellules auxiliaires – la *corona radiata* –, qui le nourrissent et le protègent, et par une fine coquille de glucides et de protéines, la zone pellucide, qui en limite l'entrée à la manière d'un videur de boîte de nuit.

Parfois quarante ans ou plus après sa naissance, une cellule sexuelle féminine est prête à jouer son rôle majeur.

Ci-contre
L'ovule vu à un très fort grossissement.
Remarquez la densité et l'aspect
grêlé de la membrane externe que
le spermatozoïde devra franchir.

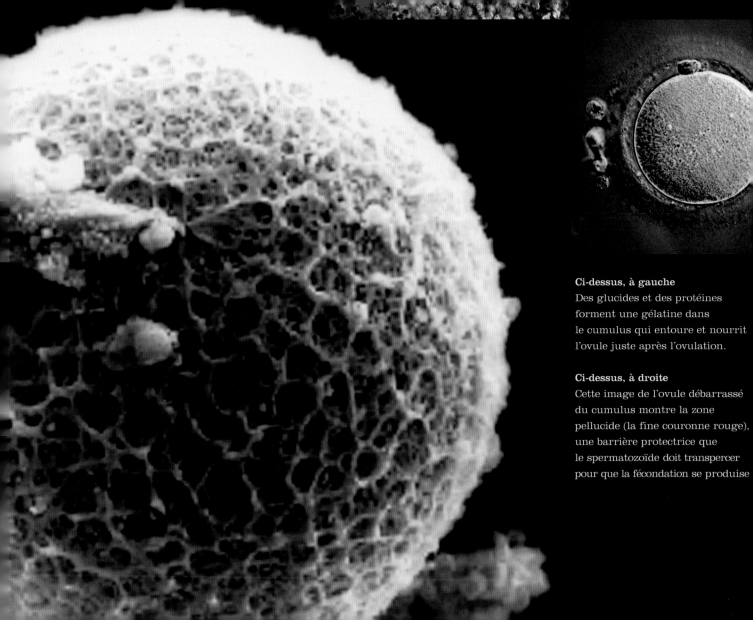

Ci-dessus, à gauche
Des glucides et des protéines
forment une gélatine dans
le cumulus qui entoure et nourrit
l'ovule juste après l'ovulation.

Ci-dessus, à droite
Cette image de l'ovule débarrassé
du cumulus montre la zone
pellucide (la fine couronne rouge),
une barrière protectrice que
le spermatozoïde doit transpercer
pour que la fécondation se produise

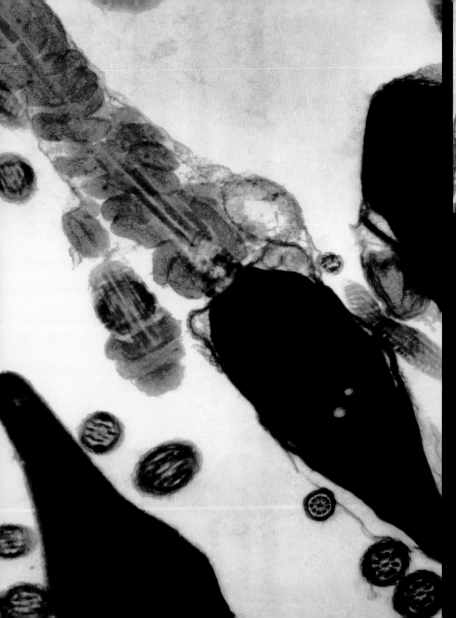

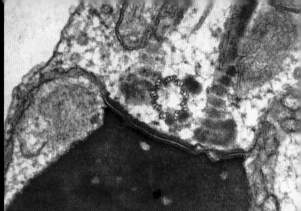

À gauche
Vue en coupe de la tête
d'un spermatozoïde contenant
23 chromosomes, la contribution
du père au nouvel être.

Ci-dessus
Vue en coupe des structures
de la jonction tête/queue
d'un spermatozoïde.

Page de droite
Section transversale de la queue
d'un spermatozoïde. À l'intérieur
de la queue ou flagelle, de fines
mais puissantes structures
torsadées assurent la progression
en milieu liquide.

trois cent millions de spermatozoïdes. Pourquoi autant ? Parce que seul un surplus aussi extravagant peut garantir qu'un nombre suffisant atteindra son but.

La fonction de la cellule sexuelle mâle est de rejoindre l'ovule dans la trompe, à une distance extrême par rapport à sa taille, d'y pénétrer et de lui fournir un lot d'ADN sain. L'extraordinaire difficulté de l'entreprise garantit que seule une poignée de spermatozoïdes réussira.

Le spermatozoïde est un transporteur parfaitement adapté à sa fonction. Sa tête ovoïde est recouverte d'une couche protectrice contenant les enzymes destinées à digérer le cumulus qui entoure l'ovule. Une pièce intermédiaire tressée, qui contient les réserves d'énergie, relie la tête et la queue. Ce flagelle en forme de fouet s'effile en un fin filament qui assure la propulsion.

Plus encore que dans d'autres cellules, la zone la plus digne d'intérêt est le noyau. Chez les humains, les chromosomes se répartissent en vingt-trois paires. Pour établir ce nombre, les cellules sexuelles des deux sexes ne possèdent qu'un chromosome de chaque paire. Dans le spermatozoïde, le vingt-troisième chromosome a une forme de X ou de Y. Cette différence déterminera le sexe de l'enfant : X pour une fille, Y pour un garçon. Les cellules X et Y étant produites à égalité, nous devrions avoir un nombre équilibré d'embryons mâles et femelles. Or les statistiques montrent qu'il naît cent six garçons pour cent filles. Les scientifiques soupçonnent les cellules Y de se mouvoir plus vite que les X, peut-être parce qu'elles transportent un matériel génétique légèrement moins lourd. Certains biologistes pensent que cet aspect très ancien de l'évolution humaine a aussi pour but de compenser la surmortalité relative des jeunes mâles. À l'âge de la reproduction, la proportion hommes/femmes est équilibrée.

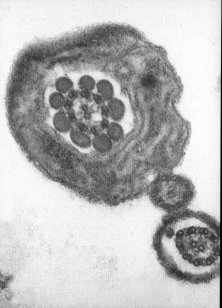

L'ACTE SEXUEL
ET L'ORGASME

Claudius Galien, le médecin le plus illustre de la Grèce antique, croyait que les femmes étaient à l'intérieur comme les hommes à l'extérieur, et que les deux sexes devaient avoir un orgasme pour concevoir. Bien qu'il se soit trompé sur le second point, Galien avait profondément compris que l'union d'une femme et d'un homme repose sur une satisfaction mutuelle.

Savoir pourquoi deux personnes se désirent sexuellement est une question dont la plus belle réponse n'appartient qu'à elles et aux poètes. Il est vraisemblable, si la conception est un but, que l'espérance d'un couple est de fusionner, au sens propre, en semant une nouvelle vie.

La physiologie de l'accouplement humain débute avec l'excitation. Lorsque nous sommes stimulés, nos organes sexuels se préparent au coït à travers une série de modifications dans le sang et le système nerveux. Le cerveau, qui reçoit les signaux sexuels, est en alerte et se prépare au plaisir érotique. Notre cœur bat plus fort, inondant nos artères, pendant que nos veines se contractent. Le sang gonfle le tissu érectile du pénis et du clitoris ainsi que les testicules, les ovaires et les petites lèvres. Nos muscles se tendent, les mamelons pointent.

Pendant un temps, ces signes restent stables. Puis, chez la femme, le tiers externe du vagin se rétrécit, pendant que les deux tiers internes se dilatent légèrement et que l'utérus se place en position haute – autant de préparatifs pour recevoir le sperme. Ce ne sont plus nos efforts, mais notre système nerveux autonome qui accélère notre respiration et nos battements cardiaques.

L'orgasme survient avec la contraction rythmique involontaire de nos organes sexuels, un frisson enchanteur. Chez l'homme, il se produit en deux étapes. Lorsque l'intensité monte, les centres réflexes de la moelle épinière envoient des impulsions aux organes génitaux, intimant aux muscles lisses des testicules, de l'épididyme et des canaux déférents l'ordre de se contracter et de chasser les spermatozoïdes dans l'urètre. La moindre trace d'urine, dangereuse pour eux, y a été neutralisée par des sécrétions glandulaires. La prostate et les vésicules séminales ajoutent leur propre sécrétion au mélange pour constituer le sperme. Pendant l'éjaculation, l'homme perd le contrôle de son sexe. La pression dans l'urètre déclenche la contraction des muscles situés à la base du pénis et ils éjectent la semence.

L'utérus, la vulve et le clitoris participent à l'orgasme féminin. Plus longues à atteindre le plaisir que les hommes, mais capables d'orgasmes multiples, la plupart des femmes apprécient les stimulations prolongées.

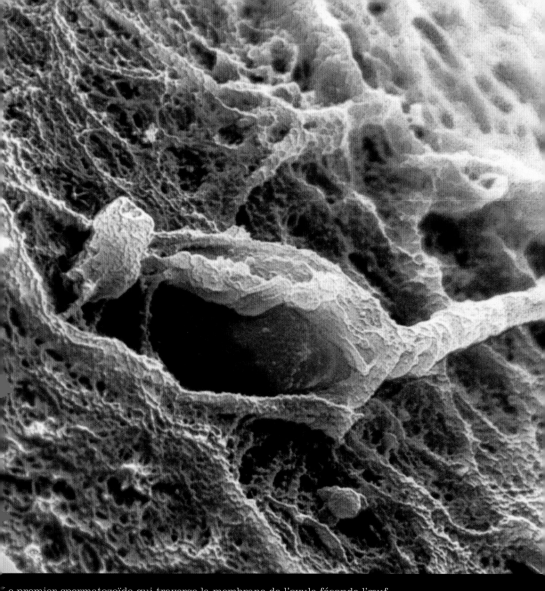

Le premier spermatozoïde qui traverse la membrane de l'ovule féconde l'œuf.

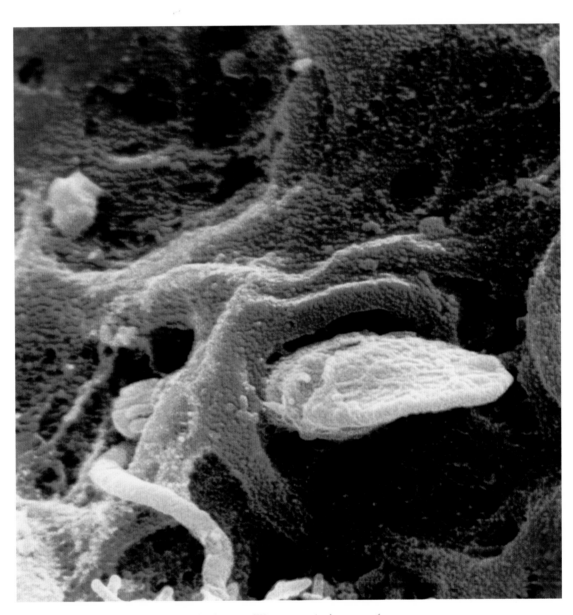

Les efforts du survivant – un sur plusieurs millions – sont récompensés.

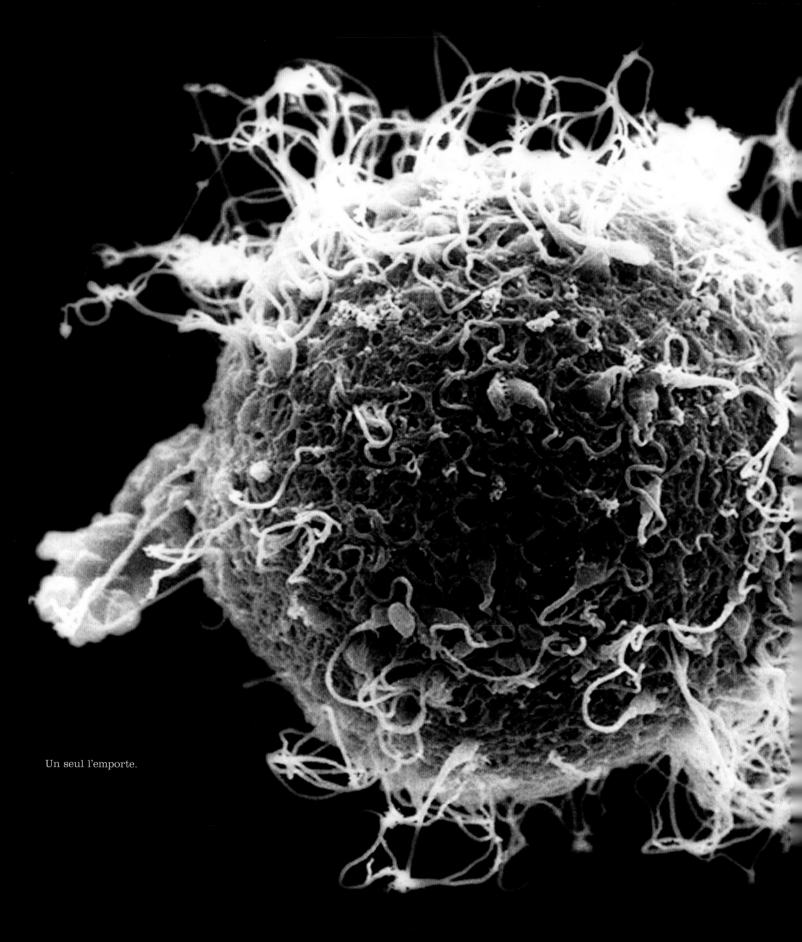

Un seul l'emporte.

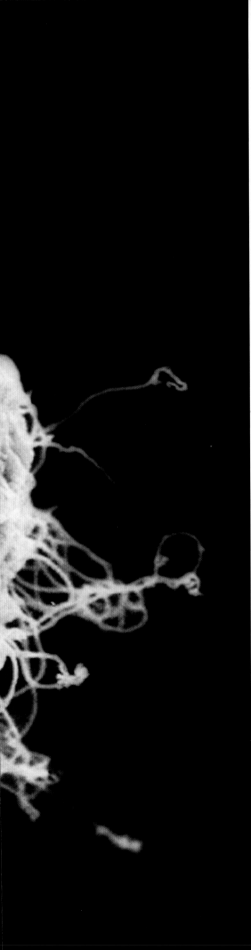

LA FÉCONDATION

Sur cent à trois cents millions de spermatozoïdes émis dans le fond du vagin, trois millions seulement pénètrent dans l'utérus. Un seul se liera aux récepteurs membranaires de la zone pellucide pour déclencher la réaction enzymatique l'autorisant à percer la membrane et à pénétrer dans l'ovule pour le féconder. Cette pénétration dure environ 20 minutes. La fusion des deux cellules sexuelles n'est pas un événement isolé, mais une série de contrôles minutieux. Même si le coït se produit pendant une période propice, peu avant ou après l'ovulation, les spermatozoïdes fraîchement émis doivent faire face à une succession de pièges mortels.

Pensez au frai du saumon.

La première barrière, certainement la plus intimidante, est la distance. Fouettant leur flagelle, les spermatozoïdes nagent puissamment, parcourant 1 centimètre par minute. Mais les parties les plus éloignées de la trompe sont à environ 20 centimètres, l'équivalent d'un marathon pour un homme.

Sur le trajet, les spermatozoïdes doivent affronter un bataillon mortel d'obstacles physiques et chimiques. L'acidité les tue et, bien que l'acidité naturelle du vagin diminue un peu au moment de l'ovulation, la plupart des gamètes mâles mourraient s'ils n'étaient protégés par le milieu alcalin du sperme. Le plus résistant est le col de l'utérus. Bien que son bouchon muqueux diminue en période d'ovulation, cette zone reste épaisse, avec des cellules filamenteuses qui bloquent et prennent au piège des millions de spermatozoïdes en pleine migration.

Ceux qui survivent et entrent dans l'utérus font bientôt face à un choix qui causera la perte de la moitié d'entre eux. Un seul ovaire a produit un ovule mature, et les spermatozoïdes qui partent dans la mauvaise trompe sont comme les saumons qui luttent contre le courant d'un torrent stérile.

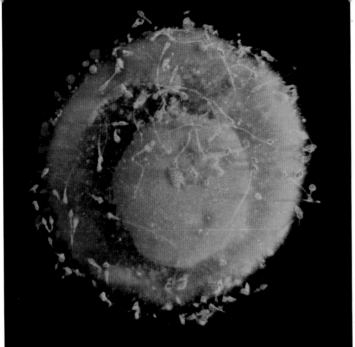

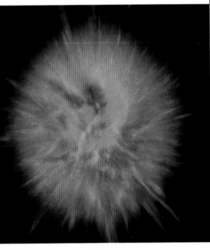

Pourtant, le labeur le plus dur attend ceux qui trouvent le bon chemin. Les ondulations des cils et les contractions musculaires qui chassent l'ovule vers l'utérus s'opposent à la progression en sens contraire des spermatozoïdes. Les parois tapissées de nombreux replis piègent encore beaucoup de candidats. Les globules blancs nettoyeurs, toujours en alerte contre les intrus, attaquent et détruisent les spermatozoïdes fragiles. Sur les trois cents millions de cellules émises lors de chaque éjaculation, moins de cinq cents – soit moins d'une sur six cent mille – atteignent l'ovule expulsé. Sur ce nombre, à peine quelques-unes percent la couche externe et se lient à la membrane de l'ovule.

Commence alors, si tout s'est bien passé, la sélection finale. Dès que le premier spermatozoïde a fusionné dans l'œuf, la membrane change rapidement de charge électrique en se démagnétisant. Tous les compétiteurs survivants sont littéralement éjectés. Moins de cinq minutes plus tard, un second et dernier blocage de nature chimique est déclenché, préservant le mélange unique des gènes parentaux. Dans le domaine de la reproduction, la nature a horreur des trios. Alors, comme des amoureux transis, les spermatozoïdes exclus continuent de nager autour de l'œuf pendant quelques jours.

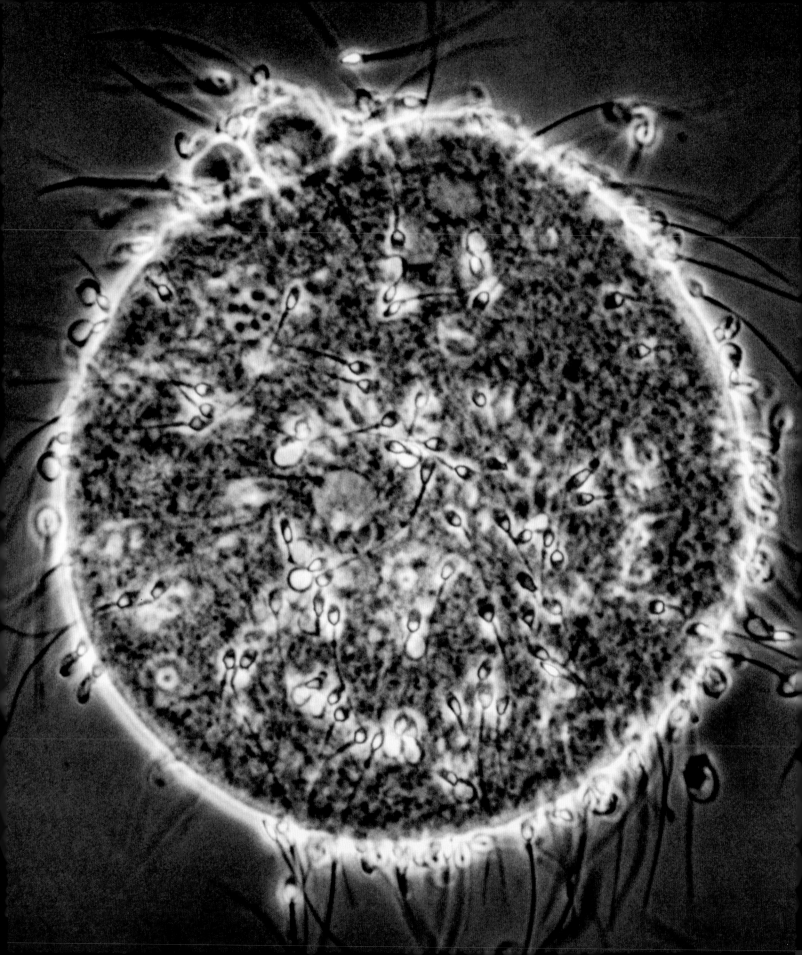

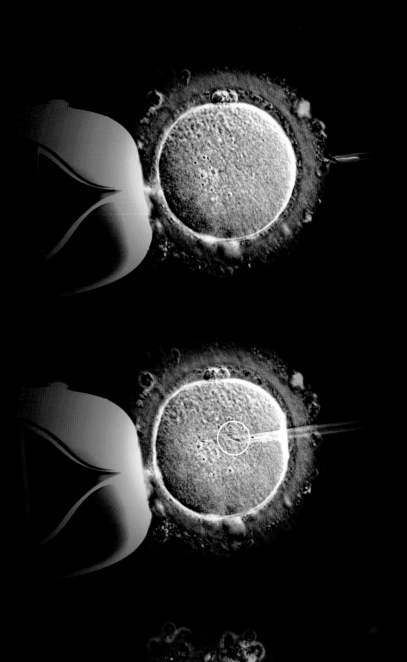

L'INSÉMINATION
ARTIFICIELLE
Une des techniques d'insémination
artificielle implique l'injection
d'un unique spermatozoïde
dans un ovocyte.
En haut, gros plan de l'aiguille
pénétrant dans l'ovocyte.
Au centre, la technique implique
l'injection d'un seul gamète,
copiant ainsi la fécondation
naturelle.
En bas, le spermatozoïde
est visible dans le cercle.

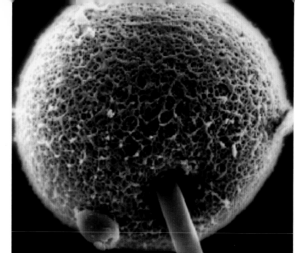

LA STÉRILITÉ

Étant donné les obstacles qui s'opposent à la réussite de la fécondation, il n'est pas étonnant que de nombreux couples éprouvent des difficultés à concevoir. Dans un phénomène aussi complexe, beaucoup de choses peuvent se passer – et se passent – mal.

Beaucoup d'hommes ne produisent pas assez de spermatozoïdes, ou leurs cellules sont de trop piètres nageuses, ou encore elles manquent de mobilité. D'autres hommes produisent trop de cellules anormales qui meurent avant d'avoir atteint l'ovule. Certains sont stériles à cause d'une anomalie génétique, comme la mucoviscidose, d'anomalies chromosomiques ou plus banalement d'un varicocèle, une dilatation veineuse de l'épididyme.

Les femmes ont fréquemment des troubles de l'ovulation, les trompes bouchées ou des ovules en mauvais état.

Rien de cela ne doit effrayer ou provoquer la honte : la stérilité est un problème médical, pas une déficience sexuelle. En Europe comme aux États-Unis, plus de 10 % des couples en âge de procréer consultent pour stérilité. Au moins la moitié répondent à un simple traitement médical et mènent à bien une grossesse. Parmi les couples qui demandent une aide médicale, près de 90 % reçoivent un traitement classique, médical ou chirurgical, les autres bénéficient de techniques de pointe comme la fécondation *in vitro* ou les dons d'ovules.

On considère généralement qu'un couple doit consulter un médecin lorsqu'une grossesse ne survient pas après une année de rapports normaux sans contraception.

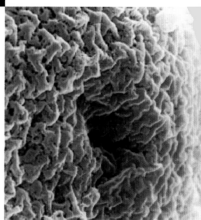

Dès que l'insémination est effectuée, la nature peut reprendre ses droits.

LA DIFFÉRENCIATION

Avec l'enfant

LA PREMIÈRE CELLULE

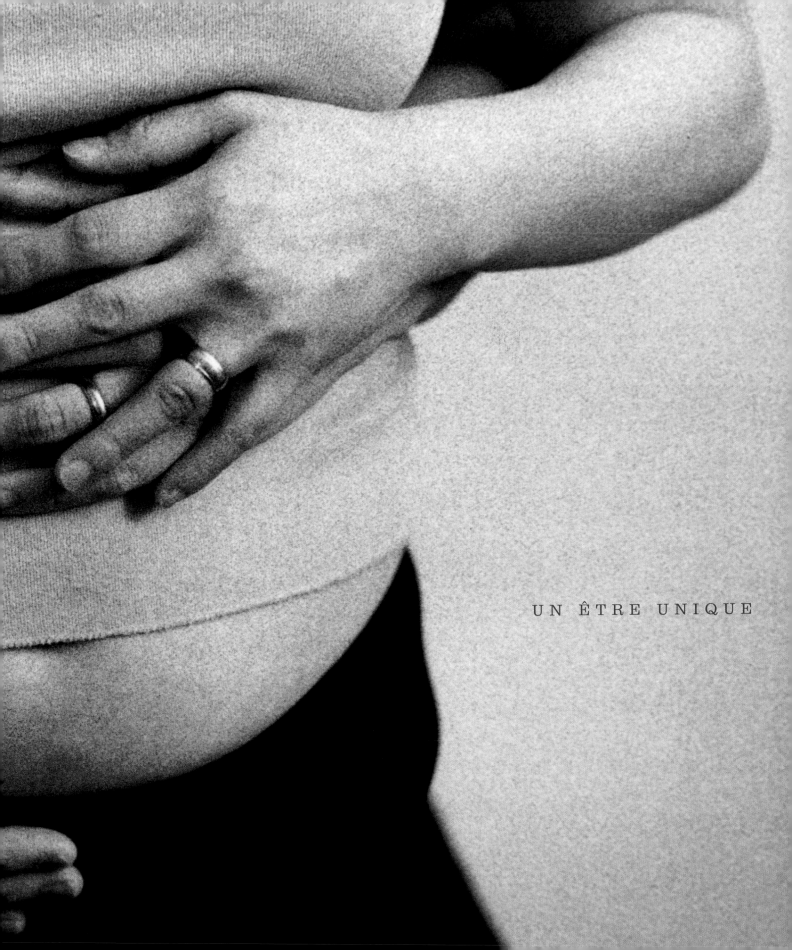

UN ÊTRE UNIQUE

02

Le premier mois

Cinquante ans avant qu'Edwin T. Brewster décrive une architecture embryonnaire de lignes et de sillons dans son livre pour enfants sur la vie et la reproduction, le théoricien britannique du XIXe siècle John Ruskin proposait sa propre vision de la construction d'un être humain : « Vous pouvez ciseler un garçon dans ce moule comme vous sculpteriez une pierre, ou mieux encore une pièce de bronze. Mais vous ne pouvez sculpter une fille dans aucun matériau. Elle pousse comme une fleur. »

Aujourd'hui, un siècle plus tard, les biologistes étudient les mécanismes de notre édification en examinant notre matière première, nos molécules. Le plus étonnant n'est pas que les filles et les garçons existent en proportions équilibrées, mais que la cellule la plus petite et la plus primitive sache les élaborer dès le moment de la conception.

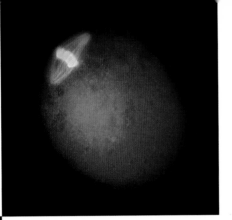

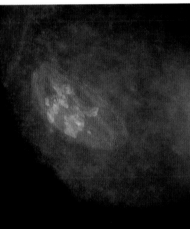

LA PREMIÈRE
SUR DES MILLIARDS

Pendant la duplication des gamètes, les chromosomes des cellules germinales échangent de l'ADN et donnent au hasard un mélange unique qui ne peut être reproduit dans aucune autre cellule sexuelle.

Les chromosomes paternels et maternels ont fusionné, la nouvelle cellule a reconstitué les 23 paires avant de se diviser une première fois. Un chromosome de chaque paire gagne l'extrémité d'un faisceau de fins filaments organisés en fuseau.

La mitose. À l'intérieur de l'ovule fécondé, un événement biologique majeur comptant parmi les plus émouvants commence à se dérouler : la fusion des cellules. Sous l'impulsion d'une force encore mal connue, le cytoplasme de l'ovule s'agite vivement. Les noyaux du spermatozoïde et de l'ovule glissent l'un vers l'autre, enflent et perdent leurs membranes respectives.

Durant les douze premières heures, la fusion des noyaux renouvelle le plus courant des miracles. Les vingt-trois chromosomes maternels se lient aux vingt-trois chromosomes paternels pour créer le manuel d'instructions en quarante-six chapitres qui permettra à cette cellule isolée de fabriquer les trois milliards de cellules d'un individu complet. À partir de ce moment, chaque cellule fille de cette cellule originelle contiendra une copie parfaite de ce plan général.

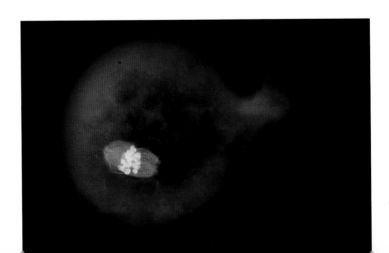

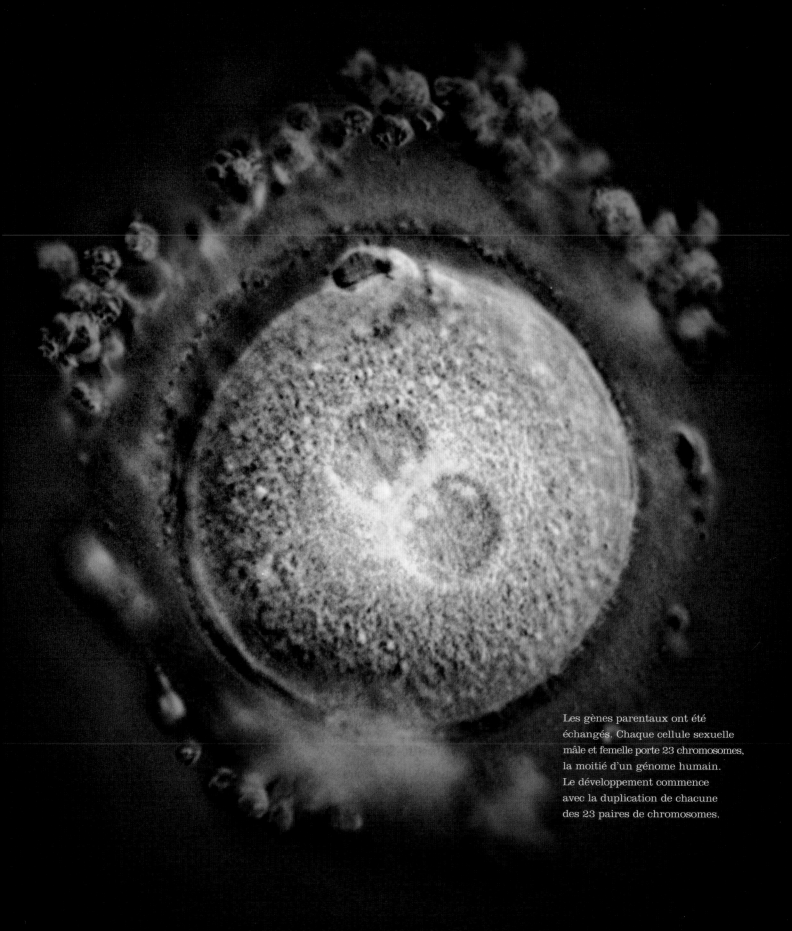

Les gènes parentaux ont été
échangés. Chaque cellule sexuelle
mâle et femelle porte 23 chromosomes,
la moitié d'un génome humain.
Le développement commence
avec la duplication de chacune
des 23 paires de chromosomes.

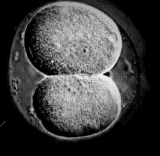

2 CELLULES

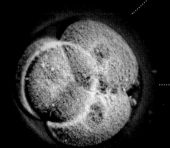

4 CELLULES

8 CELLULES

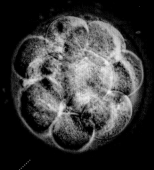

12 CELLULES

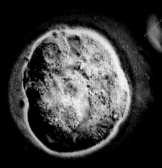

16 CELLULES

LA FABRICATION
DES COPIES

Avant qu'une cellule se divise en deux, ses chromosomes doivent en faire autant. Sur chaque chromosome, au moins mille gènes (comprenant chacun des millions d'atomes) sont enfilés comme les perles d'un collier. Pendant les quelques heures qui suivent la fusion du spermatozoïde et de l'ovule, chaque gène est recopié à l'identique à partir des substances chimiques présentes dans l'œuf fécondé. Puis chaque copie se sépare sur toute sa longueur, et les nouveaux chromosomes se regroupent en deux noyaux distincts.

Regarder en direct un ovule fécondé se diviser, c'est être le témoin chanceux d'un hasard improbable. À une minute donnée, il n'y a qu'une masse sphérique de cytoplasme. Une minute plus tard, la boule se fige d'un côté, la tension s'accroît à la surface, un pincement apparaît en son milieu, et brusquement la masse se segmente, comme coupée par un filin en deux moitiés égales dont chacune possède son propre noyau et sa membrane. Déjà distinctes, les deux cellules restent généralement accolées, mais elles se détachent parfois l'une de l'autre et se segmentent en cellules filles totalement identiques, donnant deux vrais jumeaux, homozygotes. Les faux jumeaux, hétérozygotes, proviennent de deux ovules différents fécondés en même temps, souvent chacun dans une trompe.

Deux jours après la conception, les cellules se divisent à nouveau. À la fin du troisième jour, seize à trente-deux cellules se pressent à l'intérieur de la zone pellucide, comme autant de ballons de handball entassés dans un sac transparent. Chaque ballon est identique aux autres et tous se divisent au même moment. Propulsé par les millions de cellules ciliées qui tapissent la paroi de la trompe de Fallope, ce bloc – appelé *morula,* « mûre » en latin – flotte vers l'utérus. Si cet amas est piégé dans un repli, il existe un risque de grossesse ectopique (dite aussi extra-utérine ou tubaire), mais la grande majorité des œufs traverse cet obstacle sans encombre.

Après la séparation des chromosomes dupliqués, la cellule se segmente en deux cellules filles, ou blastomères. Cette première division est suivie d'une série d'autres, toutes les 20 heures environ. Les chromosomes glissent à l'extrémité des fuseaux bipolaires et la cellule se divise. Les 4 blastomères présents à la 40ᵉ heure possèdent le même lot de chromosomes venant des deux parents. Quand le développement atteint 16 cellules, l'œuf prend le nom de « morula », nom latin de la mûre à laquelle il ressemble.

DES CHANGEMENTS DÉCISIFS

Quatre jours après la fécondation, l'ensemble de l'œuf prend le nom de blastocyste.

Jusqu'ici, les cellules qui deviendront votre bébé ne se sont pas comportées différemment des autres. Si cela persistait, il en résulterait une multiplication sans fin des ballons. Mais quelques changements vitaux se produisent, et le résultat est vertigineux.

Lorsque la *morula* pénètre dans l'utérus où elle va se développper tout au long de la gestation, sa forme se modifie, ses cellules changeant légèrement de place. Au lieu d'un amas dense, elles forment une sphère creuse d'une couche unique de cellules entourant une cavité emplie de liquide. La nature des gènes activés ou non détermine le mécanisme par lequel une cellule particulière se déplace vers un emplacement spécifique, développe une taille ou une forme programmées, bouge au milieu des cellules voisines comme si elle savait ce qu'elle faisait. Dans cette nouvelle structure, appelée blastocyste, les cellules commencent à se différencier et à agir de manière spécifique.

Deux types de cellules commencent à se former, ce qui a des implications profondes. Certaines des cellules situées autour de la cavité s'amassent en un point, le bouton embryonnaire qui deviendra le bébé. Le reste des cellules formera les annexes de l'enfant : les membranes et le placenta qui l'envelopperont, le protégeront, le nourriront et le relieront à sa mère.

Quelques heures plus tard, une deuxième différenciation majeure se produit, cette fois au milieu du bouton embryonnaire. Les cellules se stratifient en deux premiers feuillets assez épais, qui subissent à leur tour une division. La couche externe, l'ectoderme, contient les cellules destinées à former le cerveau, la moelle épinière, les nerfs, les organes des sens et la peau. La couche interne, l'endoderme, formera la paroi de l'estomac et de l'intestin. Une troisième couche, le mésoderme, apparaîtra ensuite entre les deux premières et donnera naissance aux muscles, au squelette et à la plupart des viscères.

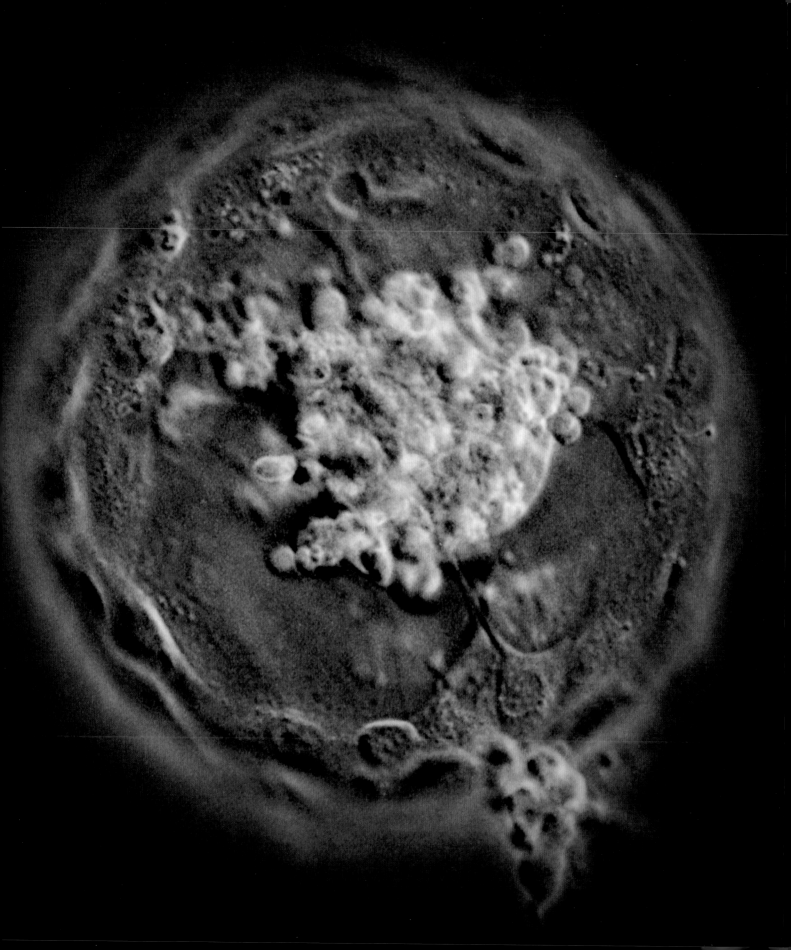

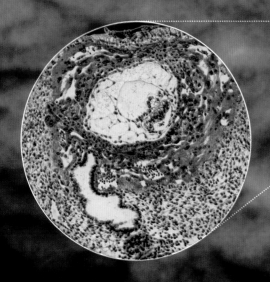

La masse embryonnaire se divise
pour former rapidement
un disque à double épaisseur.
La couche supérieure
de cellules deviendra l'embryon
et la cavité amniotique,
la couche inférieure deviendra
le sac vitellin.

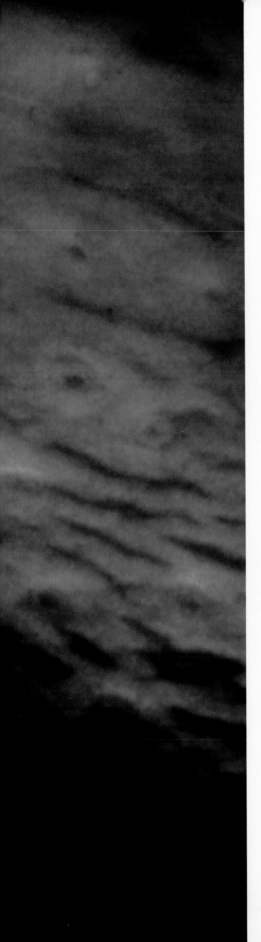

ACCUEILLIR
UNE NOUVELLE VIE

Composé d'à peine quelques centaines de cellules, le blastocyste mesure environ un dixième de millimètre. Pendant que l'ensemble croît et se modifie, les cellules ont besoin d'un apport d'informations (où aller, quand se diviser) et surtout d'éléments nutritifs.

Depuis la fécondation, chaque cellule a vécu sur son stock d'énergie et a recopié l'ADN. Il n'y a plus de secours à attendre des parents, et les tâches sont vite devenues plus compliquées. Le métabolisme (la somme des activités chimiques extrêmement complexes) double toutes les quatre ou cinq heures. Pour survivre, le blastocyste doit organiser l'alimentation de ses cellules et être lui-même nourri par sa mère.

À cet effet, alors que la femme ne sait pas encore qu'elle est enceinte, son corps se prépare aux transformations. Biologiquement parlant, elle est prête à devenir un hôte.

Au moment où il tombe dans la cavité utérine, au sixième jour, le blastocyste émerge de la membrane pellucide en partie dissoute – ce qui lui permet de grossir et de mobiliser les cellules de sa surface pour des échanges avec l'extérieur. Simultanément, des hormones émises par les follicules ovariens désertés inondent la muqueuse utérine et la rendent plus souple, poreuse et absorbante, réceptive. Les cellules situées à la lisière du blastocyste sécrètent désormais des enzymes destinées à éroder la muqueuse utérine assouplie. Un verrou se referme quand elles entrent en contact les unes avec les autres. Cette phase, l'implantation, est idéale lorsqu'elle se situe au fond de l'utérus, près du soutien et de la protection des vertèbres.

7 à 12 jours après l'ovulation, des cellules de la muqueuse utérine sont détruites, ce qui crée des lacunes pleines de sang en prévision de la croissance du placenta.

LA SYMBIOSE

La jonction de deux vies, dont l'une commence, est le deuxième grand défi de la grossesse après la fécondation. Environ une semaine après celle-ci, la construction d'un système capable de nourrir quelques centaines de cellules appelées à devenir un bébé de trois à quatre kilos est une priorité qui l'emporte sur toutes les autres.

Les deux organismes évoluant à l'unisson forment une machine merveilleuse. Pendant que les enzymes des cellules du blastocyste entament les capillaires de l'utérus avec une précision chirurgicale, provoquant leur rupture, ces mêmes cellules fusionnent en une membrane résistante appelée chorion, qui devra entourer et protéger l'enfant pendant neuf mois. Dès que le blastocyste est profondément enfoui et baigne dans le sang maternel – riche en glucides libérés par le saignement –, des structures en forme de doigt émergent du chorion et ponctionnent la circulation sanguine de la mère. Les parents pourraient se demander si le mythe du vampire ne trouve pas ses sources dans le souvenir inconscient de ce contact précoce mère-enfant.

L'outil le plus important pour soutenir le développement est le futur placenta, une masse discoïde qui se forme entre le chorion et la paroi utérine pour servir d'organe d'échanges. Les vaisseaux issus de la mère et de l'embryon s'entrelacent sans fusionner, permettant au sang usé d'échanger des nutriments frais contre des déchets, des hormones embryonnaires contre des hormones maternelles, tout en barrant le passage aux microbes et aux autres agresseurs dangereux. Les nouveaux rapports entre la mère et l'enfant – profondément interdépendants et enrichissants – sont forgés dans ce creuset de cellules partagées.

Pendant ce temps, sur l'autre face du disque, un amas se forme et une nouvelle structure apparaît : le sac vitellin. Chez les oiseaux, le jaune d'œuf est une nourriture indispensable pour l'oisillon, parce qu'il ne partage pas le système circulatoire de sa mère. Il a donc besoin d'un apport nutritif pour s'alimenter pendant toute la couvaison. Le sac vitellin humain ne contient pas de réserves, mais il remplit une fonction identique, en produisant un premier type de cellules sanguines jusqu'à ce que l'embryon puisse développer des sites pour produire ces globules : le foie, la rate et la moelle osseuse.

Curieusement, le sac vitellin donnera aussi la lignée des cellules sexuelles. À peine âgé d'une semaine et constitué de moins de mille cellules, l'embryon se prépare déjà à se reproduire environ vingt ans plus tard.

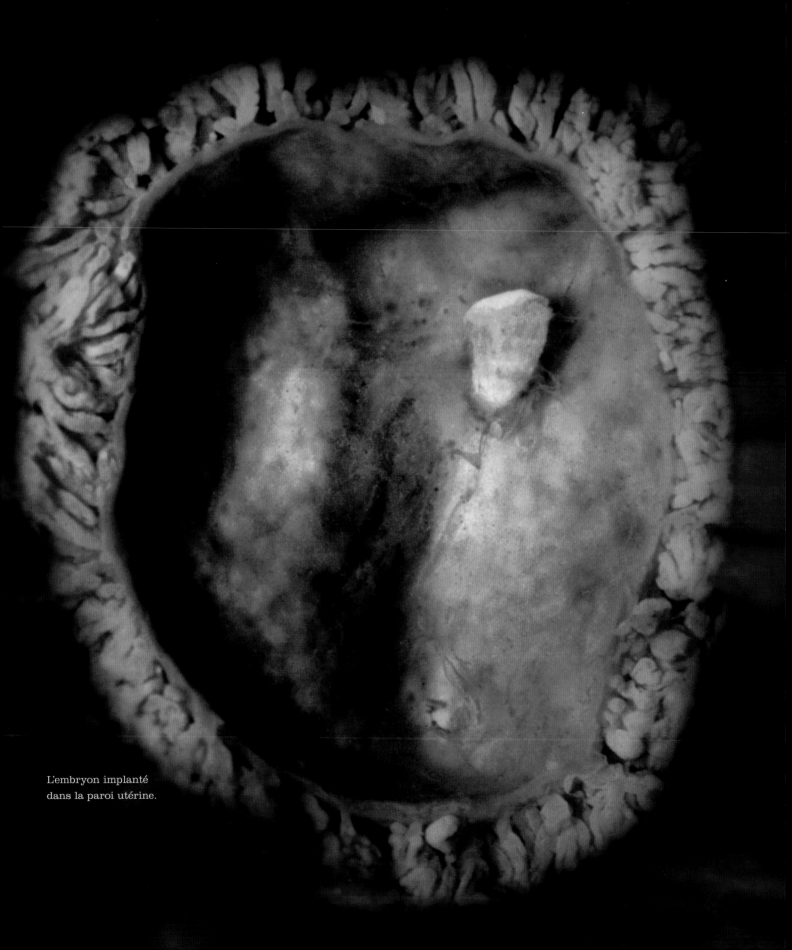

L'embryon implanté
dans la paroi utérine.

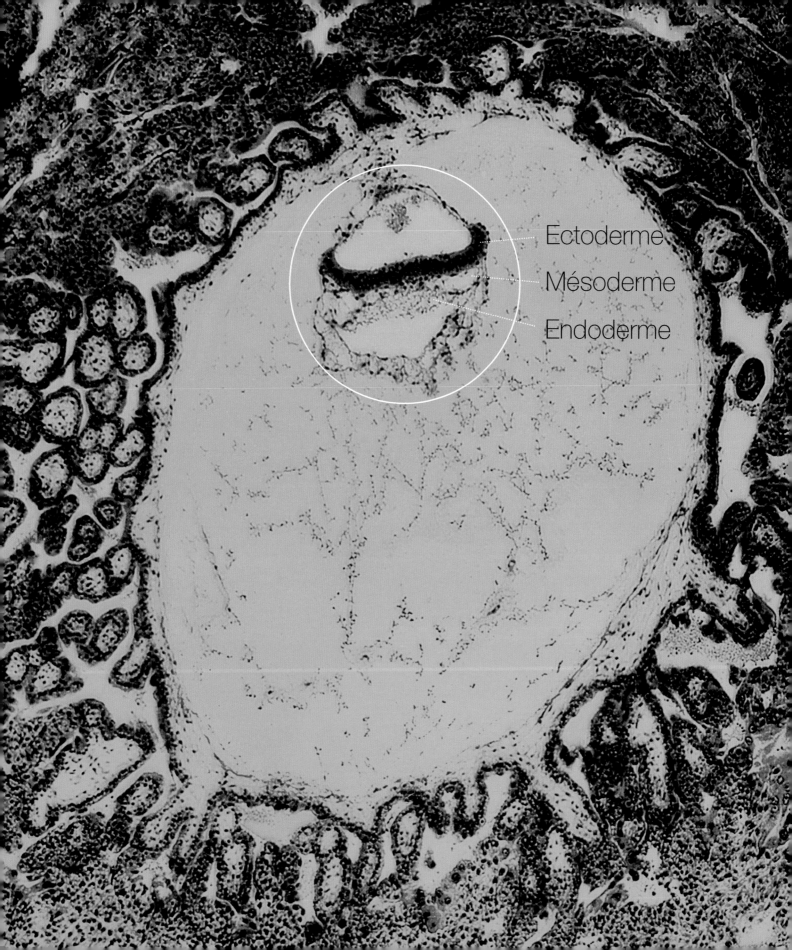

Ectoderme

Mésoderme

Endoderme

LES TROIS FEUILLETS

Grâce à ses prélèvements sur les réserves du sang maternel et à l'élaboration de ses propres vaisseaux et cellules sanguines, l'embryon se gorge et grossit à un rythme étonnant. Il double de volume presque chaque jour. Pour alimenter cette croissance, un pédicule de cellules relie directement l'embryon à l'ébauche de placenta. Il deviendra le cordon ombilical qui, juste avant la naissance, transportera près de 80 litres de sang par jour entre la mère et le fœtus.

Alors que l'embryon se gorge de ses premiers vrais repas, le disque interne apparu à la fin de la première semaine commence un développement complexe. Dans la nature, la fonction suit la forme. Des formes actives émergent par la redistribution de formes plus simples et par division ou subdivision. C'est ainsi que les bulles de savon de la *morula* deviennent la sphère creuse du blastocyste, puis que le disque embryonnaire – cet amas de cellules empilées sur un bord du blastocyste – se divise en deux feuillets, l'endoderme et l'ectoderme. Chaque division crée une ramification, inaugurant de nouvelles possibilités de différenciation ultérieure.

Lorsque le disque s'épaissit, une nouvelle rangée de cellules, baptisée le sillon primitif ou chorde, apparaît à sa surface. Pour le moment, le blastocyste n'a donné aucune indication sur leur devenir, mais il réalise un premier pas crucial en créant un axe initial. Cette rangée de cellules donne en effet des repères d'orientation au bouton embryonnaire : haut, bas, devant, derrière, mais aussi côtés. Lorsque les cellules s'organisent en tissus, puis en organes et en appareils, le sillon primitif est leur boussole.

Presque au même moment, la chorde commence à repousser un feuillet intermédiaire – le mésoderme – entre les deux feuillets initiaux du bouton embryonnaire. L'ensemble des trois couches cellulaires empilées contient toutes les ébauches d'un être humain complet et fonctionnel.

La femme commence maintenant à soupçonner qu'elle est enceinte. Si la menstruation ne débute pas, elle peut faire confirmer rapidement sa grossesse.

13 JOURS

L'ESTOMAC, LA BOUCHE
ET LE SQUELETTE

Les cellules du squelette en préparation, du tube digestif en formation, des cellules de toutes sortes sont disséminées dans l'embryon. Vivantes, elles commencent à battre, à se bousculer, à se mouvoir. Les cellules qui donneront le squelette migrent vers l'extérieur, tandis que celles du futur tube digestif migrent vers l'intérieur. Comment elles savent où aller et s'aligner avec leurs voisines reste un mystère, mais les scientifiques ont compris récemment que certaines cellules sécrètent des substances chimiques qui incitent les autres à une action spécifique. L'identification de ces substances – les morphogènes – et de leurs plans de fonctionnement est riche de promesses pour la compréhension de notre physiologie, mais aussi pour la recherche contre les maladies.

La gastrulation est un processus de développement commun à tous les animaux dont les cellules du blastocyste changent de place et migrent, de telle sorte que des formes plates ou sphériques se transforment en autre chose, à partir de quoi l'animal peut se développer. Elle ne commence pas, comme son nom pourrait l'indiquer, par la formation de l'estomac (*gastrula*, en latin), mais plutôt par les cellules qui préparent le squelette. En établissant un contact stable avec d'autres cellules, environ quarante d'entre elles se disposent en anneau sur le feuillet superficiel du bouton embryonnaire. Ce n'est qu'après leur mise en place sur la paroi externe de l'embryon, où elles forment un bourrelet, que le groupe de cellules qui deviendra l'appareil digestif commence à migrer, creusant une dépression dans la face ventrale bombée. Le disque embryonnaire prend la forme d'une poire, plus bombée à une extrémité, la région de la tête. Pendant quelques heures, il ressemble à un minuscule collier de cheval creusé d'une profonde gouttière le long de son axe médian.

Les cellules situées au niveau de la tête envoient de longs filaments à travers la gouttière. Leur fonction est de pousser des plaques d'autres cellules à recouvrir la cavité pour former un tube. C'est l'emplacement de la future bouche. Brièvement, le tube s'allonge comme une fermeture à glissière, jusqu'à ce que tout l'appareil digestif primitif soit refermé, de la bouche à l'anus.

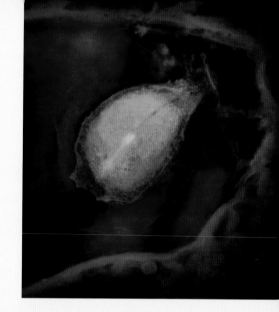

LES MESSAGES
DES CELLULES

Certains signaux chimiques émis par le mésoderme ont déjà différencié la production de nouvelles cellules selon leurs fonctions. Les cellules qui se massent au niveau supérieur sont longues et allongées, cylindriques ; les cellules du niveau inférieur sont plus cubiques, comme des pavés. L'embryon se prépare maintenant à produire son troisième type de structures, le plus déterminant.

Au dix-septième jour, la plupart des cellules cylindriques superficielles sont déjà des neuroblastes, les éléments les plus précoces du cerveau et du système nerveux. Ces cellules ne peuvent transmettre un message à 100 mètres par seconde comme le font les cellules nerveuses matures, mais elles contiennent toutes les informations pour fabriquer des cellules qui le peuvent. Leur descendance infiltrera la moindre parcelle du corps de votre bébé.

Pendant les deux jours suivants, un second manchon cellulaire s'incurve et se soude par-dessus le sillon primitif, fermant le tube neural. Moins de trois semaines après la fécondation, l'embryon, de la taille d'une tête d'épingle, a déjà écrit le plan d'un appareil destiné à coordonner les actions de tous les autres, autrement dit le futur système nerveux central.

Ces modifications se produisent au bon moment, lorsque les cellules de l'embryon ont formé des canaux et que ces canaux se sont rapidement organisés en réseau. Le travail de soutien et d'orchestration de phénomènes cellulaires de plus en plus complexes nécessitera bientôt une coordination plus importante que celle exercée jusqu'alors par des flots de substances chimiques.

Le futur cerveau commence à s'isoler. Remarquez la ligne blanche sur laquelle la séparation se fera. Elle est le premier repère entre la droite et la gauche du futur enfant.

16–19 JOURS

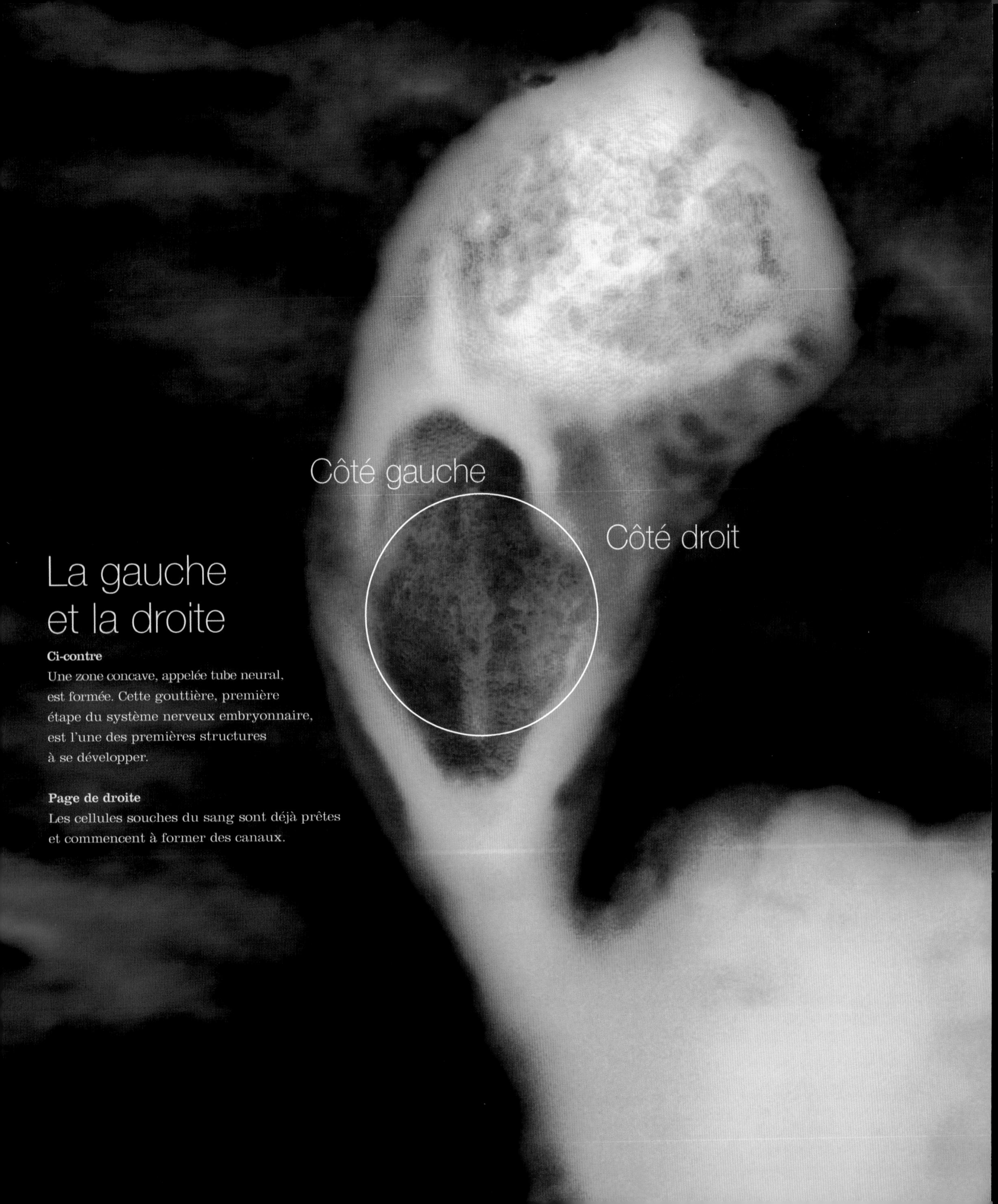

Côté gauche

Côté droit

La gauche
et la droite

Ci-contre

Une zone concave, appelée tube neural,
est formée. Cette gouttière, première
étape du système nerveux embryonnaire,
est l'une des premières structures
à se développer.

Page de droite

Les cellules souches du sang sont déjà prêtes
et commencent à former des canaux.

LES SOMITES

Si vous pouviez regarder un embryon de haut, il vous paraîtrait étiré comme une chaussure de clown. L'extrémité côté tête mesure presque le double de celle côté queue, de dessous légèrement effilée. Chaque crête, renflement et creux représente la marque d'un assemblage de cellules formant d'autres types de tissus.

Trois premières paires de protubérances font saillie, comme les dents d'une fermeture à glissière, de chaque côté du sillon neural, progressant de la queue vers le centre de l'embryon. Ce sont les somites, bouquets de cellules mésodermiques qui donneront chacune une partie de la peau et des muscles majeurs du corps. Un bourgeon céphalique enfle à l'autre extrémité de la chorde, dont la taille atteint maintenant le tiers de celle de l'embryon. Dans le sac vitellin, deux nouveaux types de cellules apparaissent : des cellules souches, qui peuvent produire toutes les autres cellules sanguines, et des cellules qui formeront la paroi interne des vaisseaux sanguins. Ceux-ci commencent d'ailleurs à se former au même moment dans le placenta.

Simultanément, les cellules musculaires formées dans la couche superficielle traversent le sillon primitif jusqu'à un point central où elles se regroupent, pour former deux tubes coudés et séparés.

L'embryon a pris une forme allongée,
on y voit les ébauches du cerveau,
de la moelle épinière et du cœur.

Sac vitellin

Cerveau

Cœur

Moelle épinière

UN CŒUR BAT

Page de gauche

À droite, certaines cellules
de la crête neurale vont
participer à l'élaboration
du crâne et de la face de l'embryon.
Observez les somites, nettement
visibles, avec leur aspect
de fermeture à glissière.
En haut, à gauche, un tube
coudé en S forme le cœur
primitif, et le muscle cardiaque
commence à battre.
En bas, à gauche, au 28ᵉ jour,
le cœur bat.

Alors que l'embryon est encore plus petit qu'une lettre sur cette page, ses transformations se poursuivent activement. Chaque changement découle d'une simple division : un groupe de cellules donne des cellules filles qui, au lieu d'être des copies conformes, évoluent légèrement selon les gènes activés ou non dans leur patrimoine. Le processus se poursuit au fil des divisions cellulaires, de cellules filles en cellules filles, qui naissent d'un tronc commun, comme les branches d'un arbre. Puis, à une vitesse étonnante et sans raison apparente, des structures de plus en plus complexes émergent, chacune plus sophistiquée que la précédente.

Alors que l'embryon s'allonge et que son sac vitellin s'étend, jusqu'à douze paires de nouveaux somites apparaissent et évoquent l'ébauche d'une colonne vertébrale. Lorsqu'ils émergent, ils incluent les portions correspondantes du tube neural en englobant toute la future moelle épinière. Juste au-dessus de la paire supérieure, de chaque côté de la gouttière neurale, apparaissent deux disques épais qui deviendront les yeux. Les cellules des oreilles sont également présentes, bien qu'elles n'aient encore aucune structure correspondante. De même, des cellules de la crête neurale s'amassent sous l'extrémité céphalique où elles évolueront pour former le crâne et la face.

Plus remarquable encore, les deux tubes coudés de la région médiane fusionnent en un seul tube en S. La partie supérieure commence à pomper, pendant que la partie inférieure commence, à l'inverse, à aspirer. Trois semaines exactement après la fécondation, un cœur humain bat, grâce à un système circulatoire encore primitif.

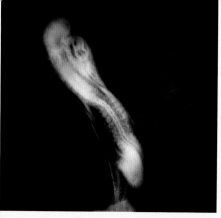

LA FEMME
SE SAIT ENCEINTE

La plupart des femmes savent à ce stade qu'elles sont enceintes, alertées par l'absence de menstruation et d'autres changements hormonaux qui les fatiguent et les rendent nauséeuses. Symbole du lien mère/embryon, plus la maman se sent incommodée, plus les événements se bousculent à l'intérieur de son corps.

À la fin du premier mois, l'embryon présente des caractères distincts d'espèce vertébrée : une grosse tête, un dos cambré, une queue allongée. En moins de quatre semaines, il est passé d'une cellule à plusieurs millions, d'une masse anarchique de cytoplasme à des groupes de cellules bien organisés, qui forment la base des principaux systèmes du corps : le cœur, le cerveau, la moelle épinière et les organes des sens sont apparus et fonctionnent, bien que les organes eux-mêmes soient loin d'être matures. Le tube cardiaque bat avec régularité, propulsant des fluides à travers le corps, mais il ne s'agit pas d'une réelle circulation tant que les vaisseaux sanguins ne sont pas constitués.

Lorsque les ultimes paires de somites sont produites, le tube neural se ferme. Le cerveau et la moelle épinière naissants sont maintenant les tissus les plus compacts et puissants du corps, dont ils commencent à infiltrer les autres systèmes. Dans le même temps, le système circulatoire continue à se développer. Les cellules sanguines primitives longent la surface du sac vitellin dont elles sont issues, se déplacent le long des voies nerveuses et font l'aller-retour avec le placenta. C'est pendant cette période que les cellules de la muqueuse digestive commencent à se différencier en plusieurs nouvelles zones : le foie, le poumon, l'estomac et le pancréas.

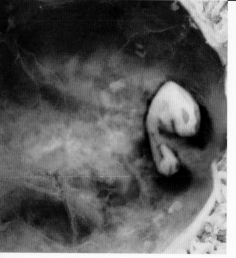

Ci-dessus
Un tube cardiaque primitif coudé en S bat, et un flux de fluides circule en rythme à travers le corps. Mais ce n'est pas encore une vraie circulation sanguine, les vaisseaux n'étant pas complètement développés.

Page de droite
25 à 27 jours après l'ovulation, le cerveau et la moelle épinière sont les deux tissus les plus volumineux de l'embryon. Le système sanguin continue à se développer. Les cellules sanguines longent la surface du sac vitellin d'où elles sont issues, se déplacent le long du système nerveux et glissent vers le système circulatoire maternel.

25-27 JOURS

Vue de dos

Vue postérieure montrant
la division entre
les cavités externes
et internes de l'embryon.

23—25 JOURS

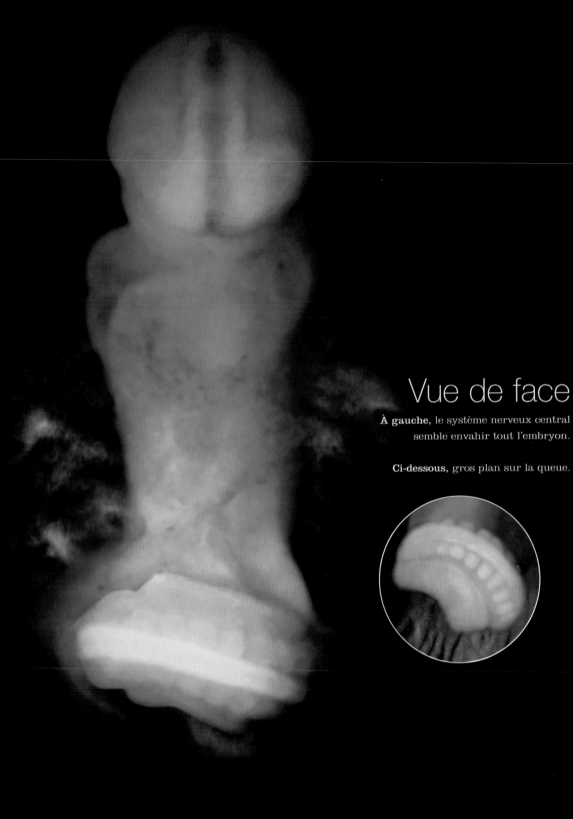

Vue de face

À gauche, le système nerveux central
semble envahir tout l'embryon.

Ci-dessous, gros plan sur la queue.

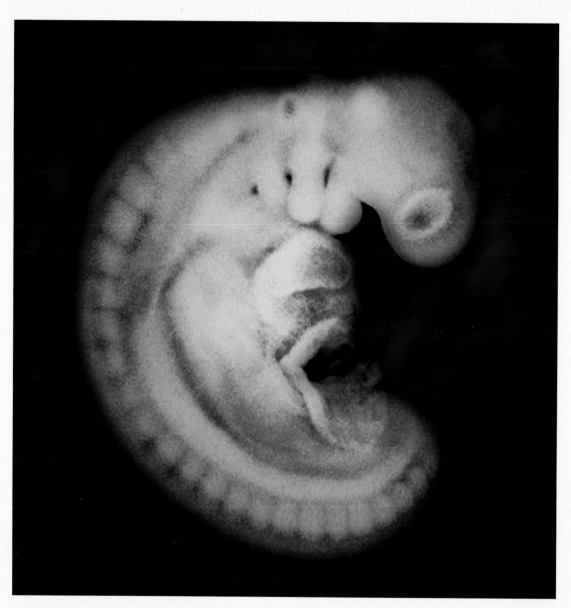

Au moment où le tube neural se ferme, les yeux et les oreilles commencent à se former.

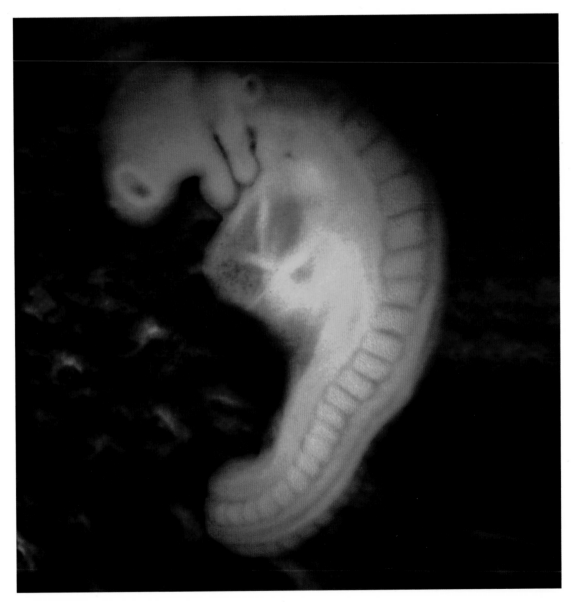

L'embryon se courbe en forme de C. L'arc constitué par la face et le cou devient visible sous l'avant du cerveau.

Un miracle quotidien

ORCHESTRATION

CROISSANCE

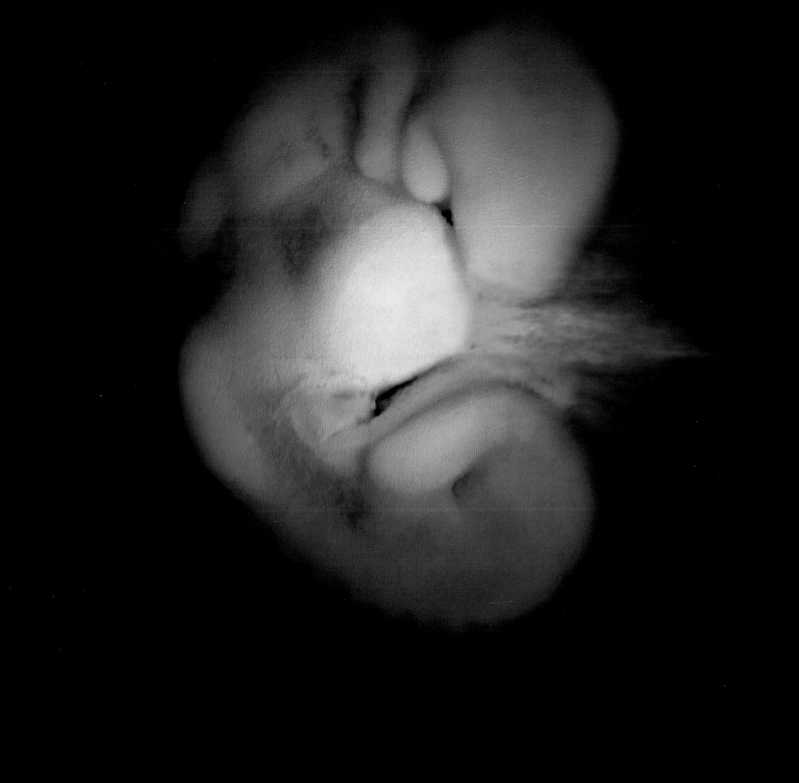

03

La métamorphose

Chaque future maman devient un monde à part entière, que le futur papa observe de l'extérieur. Il n'y a pas d'injustice à cela, car c'est à l'intérieur du corps féminin que tous les changements majeurs se produisent. L'embryon se transforme de jour en jour et, avec lui, le rôle et la conscience d'être mère. Bien que son état ne se voie pas encore, elle sait qu'elle porte un bébé, et cela change tout.

Au début du deuxième mois, l'embryon est à mi-parcours de sa période de croissance et de développement rapides. Quatre semaines plus tôt il n'était qu'une cellule unique, dans quatre semaines presque tous ses organes vitaux existeront et auront sans erreur possible un caractère humain.

L'embryon est longtemps resté un mystère, à ce moment où il franchit un seuil décisif de son évolution. Par de nombreux aspects, il pourrait se confondre aisément avec la progéniture d'autres espèces. À ce niveau de développement, les souris, les éléphants et même les poulets lui ressemblent beaucoup. De plus, il conserve certaines structures de nos lointaines origines – une queue, un sac vitellin, une ébauche de branchies – qui évoquent un animal inférieur, et qu'il perdra bientôt.

Il y a un siècle, la théorie scientifique fondée sur ces ressemblances affirmait que chacun d'entre nous repasse par toutes les étapes de l'évolution vers l'espèce humaine. Cette théorie est largement dévaluée aujourd'hui, car nous ne passons pas par un stade poisson, oiseau, reptile ou grand singe avant de devenir humains. Les processus du développement sont communs à tout le monde animal, c'est la manière dont ils sont utilisés qui a donné ce que Darwin appelait « l'objet le plus noble que nous soyons capables de concevoir » : une vie humaine.

Ce qui marque le deuxième mois de gestation n'est pas tant le changement d'apparence de l'embryon, évident sur les images, que le fait que nous observons pour la première fois son humanité frémissante et que nous en tombons amoureux. Le sens général de cette période est l'achèvement. En un seul mois, l'ébauche de cœur devient un cœur, l'ombre de l'œil devient œil, un fourreau de quelques cellules se tord et croît en un réseau d'organes, quatre crêtes sculptent un visage humain. La vie se déploie dans ce qu'elle a de plus magnifique, en moins de temps qu'il ne faut pour faire pousser une laitue.

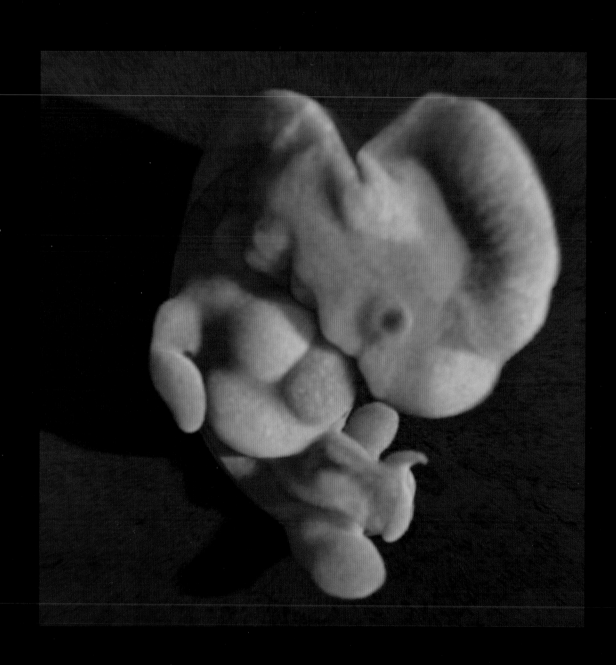

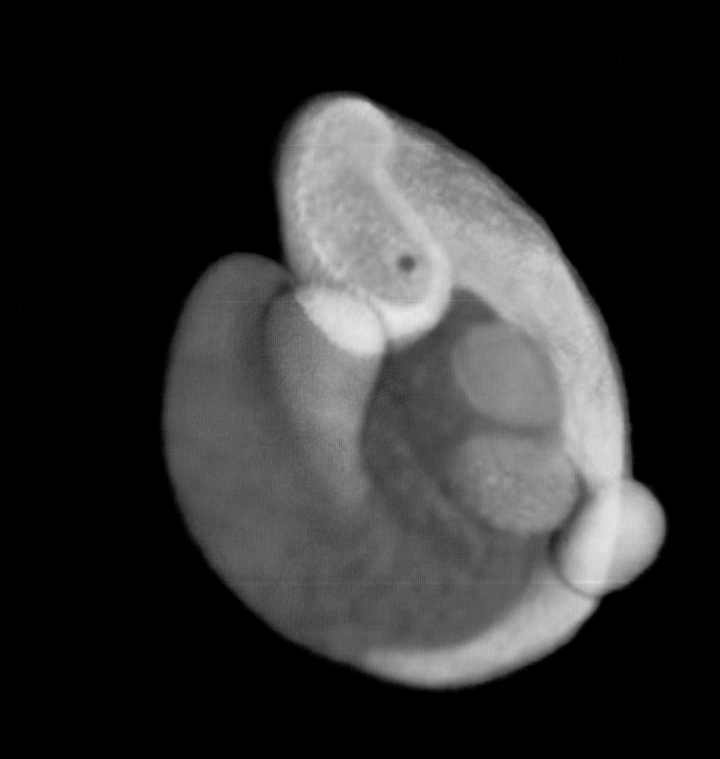

UNE EXPLOSION DE CHANGEMENTS

L'embryon de vingt-huit jours, en croissance rapide continue, est incurvé en C comme une virgule. Le cœur et le cerveau primitifs sont actifs, à leur place, et déploient rapidement des structures plus complexes et fonctionnelles. Le sommet est bombé, la région du cerveau épaissit et commence à s'organiser en sous-régions. Bien que la physionomie de l'embryon ne soit pas encore vraiment humaine, un ensemble de crêtes – précurseurs du visage et du cou – se recourbent à la face inférieure du sommet. Chaque crête, équipée d'une artère centrale et d'un nerf crânien, contient un bouquet de cellules destinées à former les os. À l'intérieur des trois premiers arcs branchiaux se trouvent les éléments des futurs appareils de l'audition, de la phonation, de la respiration, de la déglutition et de l'expression du visage. Deux disques cellulaires, bombant au sommet du tube neural près de la région du crâne, constituent l'ébauche des yeux.

Pendant ce temps, le tube cardiaque primitif a développé des protubérances qui préfigurent les structures à venir. C'est une grande période d'organisation du corps. Les éléments de quarante paires de muscles et de trente-trois vertèbres rayonnent sous forme de fibres dures à partir de la zone vertébrale. Un nouveau cordon – le méso-néphros – filtre les déchets métaboliques du sang en attendant de devenir l'appareil uro-génital. Quatre bourgeons en forme de nageoires poussent sur la moitié inférieure du C qui se termine par une queue effilée. Pas plus gros qu'un grain de riz, l'embryon flotte dans un peu d'eau salée, au bout d'un câble fin constitué d'artères sinueuses implantées dans le placenta, où nutriments et déchets sont échangés avec la mère.

Le cœur et le foie ont un volume équivalent ; la division du cœur en quatre futures cavités est maintenant bien visible.

L'embryon à 28 jours

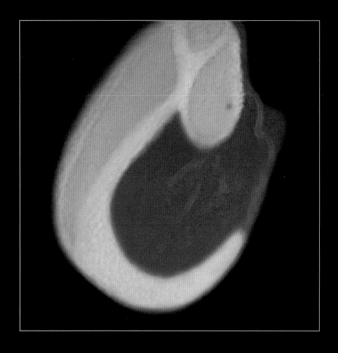

TAILLE ACTUELLE : 4 MM

VUE INTERNE DE L'EMBRYON À 28 JOURS
Le rythme de l'embryogenèse est étonnamment
rapide à ce stade : à 3 semaines, il n'existe presque rien ;
à 8 semaines, tous les organes sont en place.

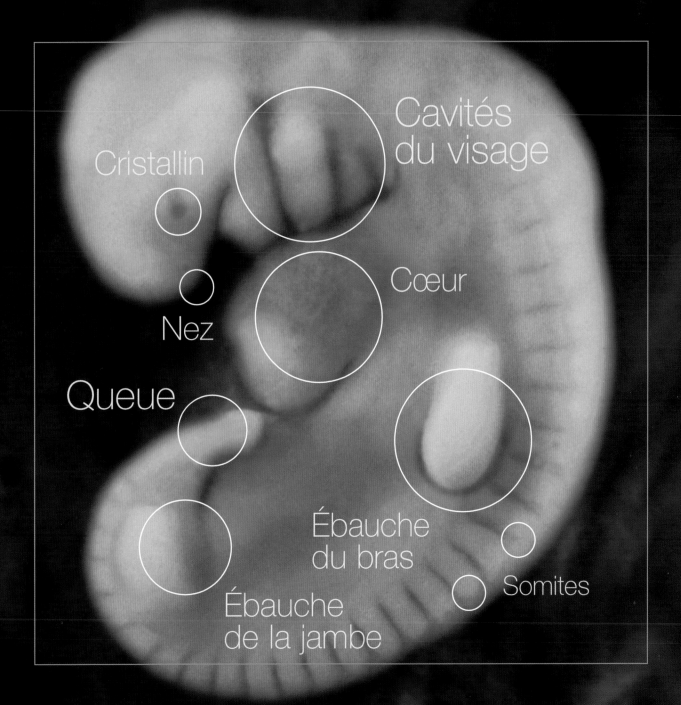

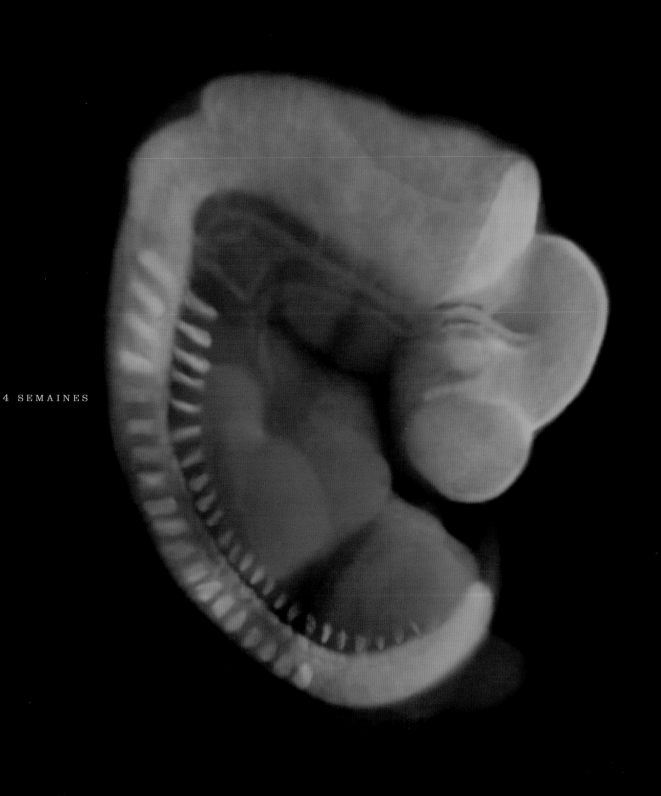

4 SEMAINES

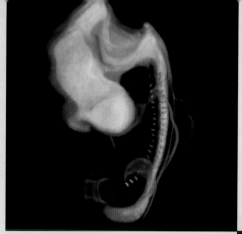

6 SEMAINES

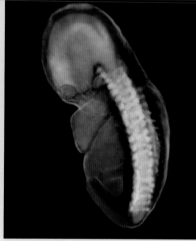

LE SYSTÈME NERVEUX

14 SEMAINES

La communication. Le système nerveux est le réseau de transmission de messages le plus efficace au monde. Il commence à se former au dix-huitième jour de gestation et continue à se développer plusieurs semaines après la naissance. Véhiculant à une vitesse supersonique les informations le long d'un réseau de cellules, il connecte le cerveau aux filets nerveux dans les muscles, la peau, les glandes et les organes des sens. À la naissance, le système nerveux sera inondé de données fournies par les 10 000 papilles gustatives, les 240 000 récepteurs auditifs et quelque 50 milliards de capteurs oculaires, pour que le bébé commence à voir, entendre et goûter le monde qui l'entoure.

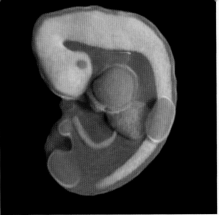

Ci-dessus, à droite
Le cœur est divisé en 4 parties.

Ci-dessus, à gauche
Vue postérieure montrant
les ébauches de membres.

Page de droite
Vue dorsale montrant les somites.

DEVENIR...

La différenciation. Comme une photographie qui se dessine dans
le révélateur, l'embryon se différencie chaque jour un peu plus en
être humain, à mesure que ses traits émergent. Un sillon
courbe, l'ébauche de l'oreille apparaît sous les crêtes de la région
faciale. Les cristallins s'enfoncent profondément quand commence le phénomène unique de la construction des yeux. Deux
plaques épaisses de cellules enflent à la surface du visage, puis
se creusent comme des cratères cernés par un bourrelet en fer
à cheval : elles deviendront le nez. Une structure de type branchie
– le sinus cervical latéral – apparaît le long de la crête faciale la plus
basse et sera finalement recouverte de peau. Les bourgeons de
membres s'allongent comme des pagaies.

   À l'intérieur, le cœur et le cerveau s'étendent rapidement et
s'approchent de leur forme définitive. Ces deux organes sont de
type creux, comportant un canal central d'où naissent des structures secondaires reliées par de fins canaux et emplies de liquide.
Pendant les jours qui suivent le début de subdivision du cerveau,
un nouveau ventricule s'ouvre. Il contient le réseau primitif nécessaire à la motricité et aux perceptions sensitives.

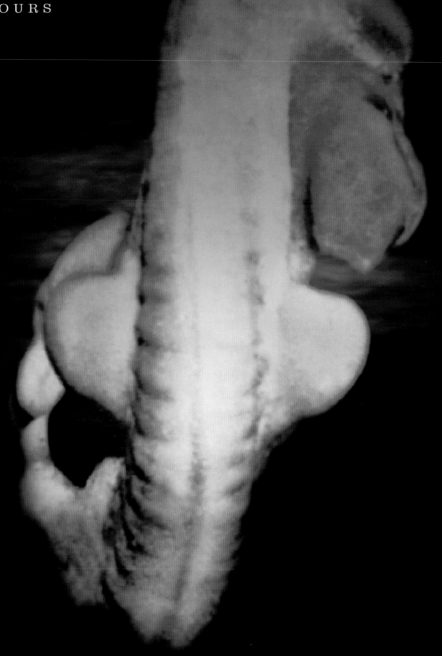

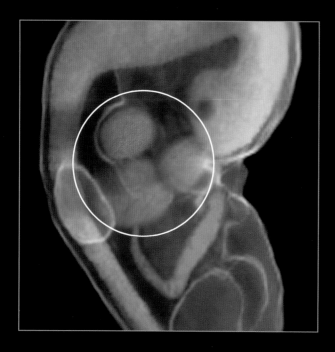

TAILLE ACTUELLE : 4,5 MM

LE CŒUR

Les 4 cavités cardiaques sont formées. Le ventricule droit
et l'oreillette droite sont nettement visibles.

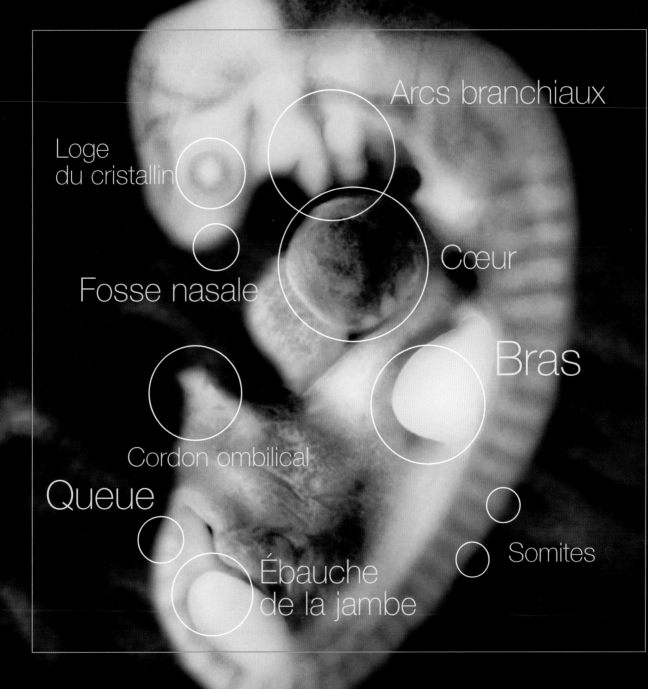

Arcs branchiaux

Loge
du cristallin

Fosse nasale

Cœur

Bras

Cordon ombilical

Queue

Somites

Ébauche
de la jambe

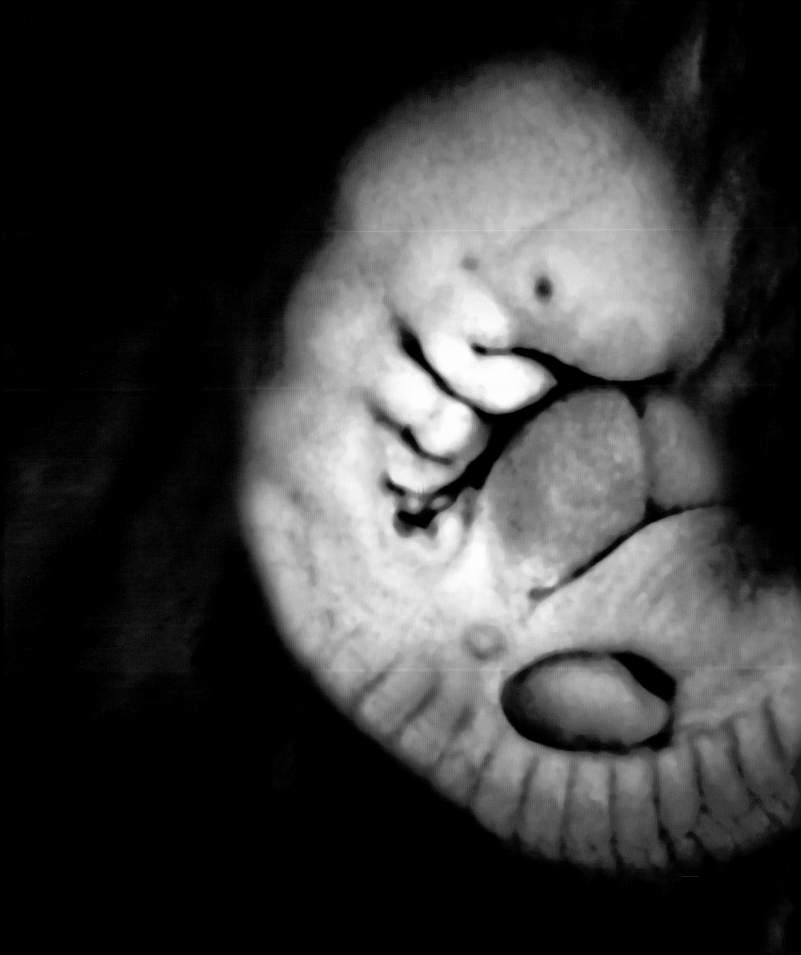

L'ordinateur et le moteur

Le cœur et le cerveau représentent 50 % du volume de l'embryon.

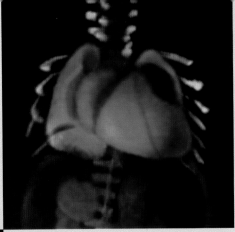

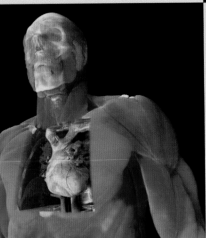

ADULTE

Page de droite
Le cœur a terminé la partie la plus
spectaculaire de son développement
à la fin des 8 premières semaines.
Il commence à ressembler
à un cœur adulte. À ce stade,
le fœtus mesure environ 3 cm.

CONSTRUIRE UN ENFANT   02

LE CŒUR

En développement depuis la troisième semaine, le cœur embryonnaire est construit comme l'un de ces jouets d'enfant qui transforment un monstre en super-héros par pliages et dépliages successifs. Tout au long de la gestation, il lui suffit de se comporter comme une pompe unique pour maintenir le flux sanguin entre le corps de l'enfant et le placenta. Toutefois, en vue des exigences de la circulation postnatale, quand les molécules d'oxygène devront être puisées dans l'air des poumons, le cœur embryonnaire élabore quatre cavités qui pourront respectivement propulser et recevoir le sang venant des poumons. Le problème physiologique est résolu par la présence de deux ouvertures, qui permettent à chaque cavité cardiaque de prélever une large part du sang qui devrait emprunter les vaisseaux pulmonaires non développés. Ces deux ouvertures se ferment automatiquement à la naissance, lorsque le bébé crie ou respire pour la première fois.

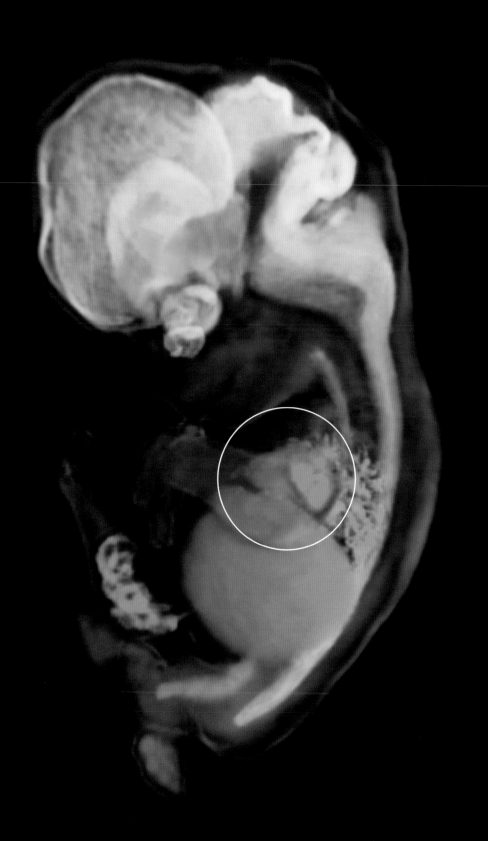

54 JOURS

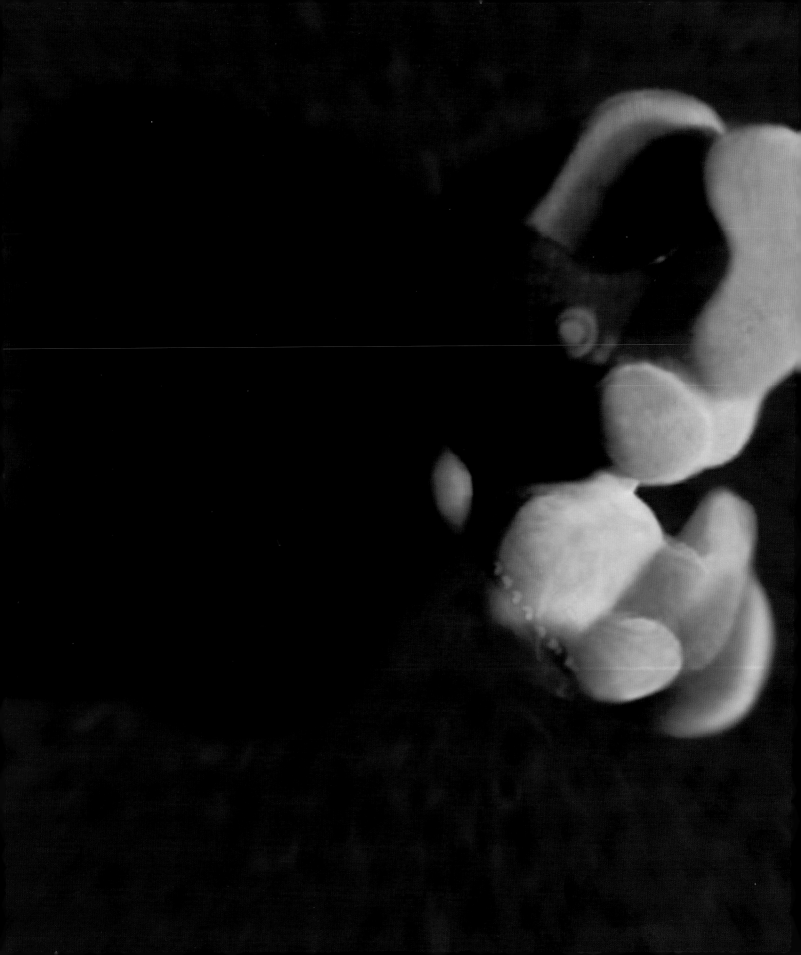

UN JEU
DE CONSTRUCTION

Le déploiement. La construction d'un corps humain s'accélère à une vitesse étonnante, créant des structures de plus en plus spécialisées. Le cerveau est maintenant une suite de cinq cavités bordées par un tissu nerveux embryonnaire. Les cellules de l'extrémité céphalique commencent à se différencier en cellules qui combleront la cavité la plus éloignée du cœur, le futur cortex cérébral où siègent les fonctions intellectuelles. Les conduits auditifs se creusent et prennent forme. Les fosses nasales deviennent plus profondes et se rapprochent des yeux.

Jusqu'à présent, le cœur et le cerveau étaient plus utiles que le tube digestif, et la moitié inférieure du corps évoluait moins vite que la partie supérieure. Le foie, l'estomac et l'œsophage commencent désormais à se former. Les ébauches des membres supérieurs se segmentent, en bras, avant-bras et mains, pendant que les bourgeons des membres inférieurs s'aplatissent comme des nageoires. Les cellules qui déterminent le sexe du bébé migrent du sac vitellin jusqu'à l'emplacement des futurs organes sexuels. La queue, souvenir de nos origines, régresse, puis disparaît.

Extérieurement, l'embryon est à peine différent de celui d'un poulet ou d'une souris. Mais, à l'intérieur, l'équipement distinctif d'un organisme humain est désormais pleinement actif.

Vue de face d'un embryon.
Le cerveau a grossi de 30 %
pendant les 4 derniers jours.

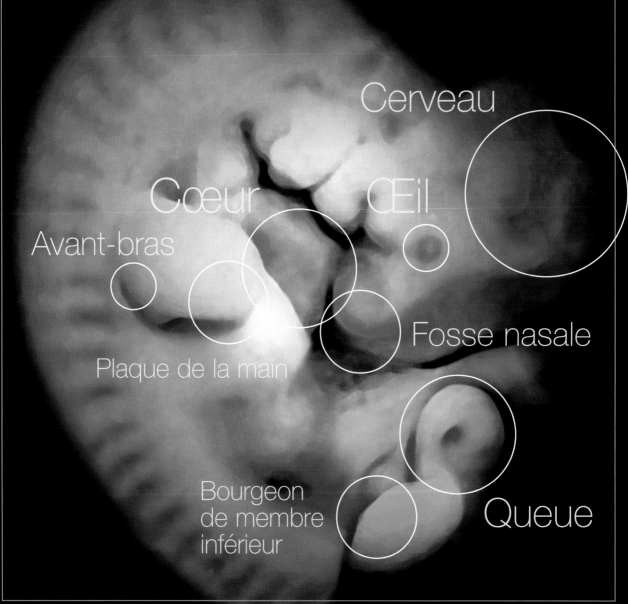

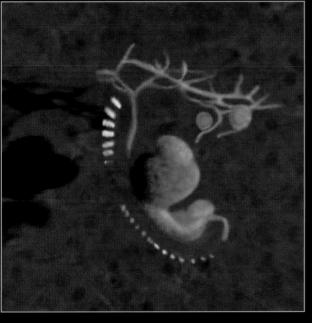

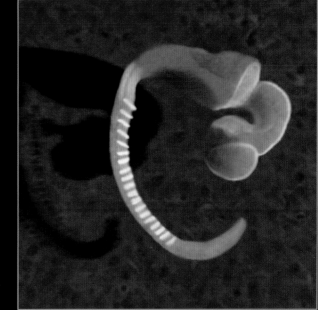

DES ORGANES ISOLÉS

La technologie d'imagerie qui a rendu ce livre possible

Ci-dessus, on découvre le système nerveux, avec le cerveau

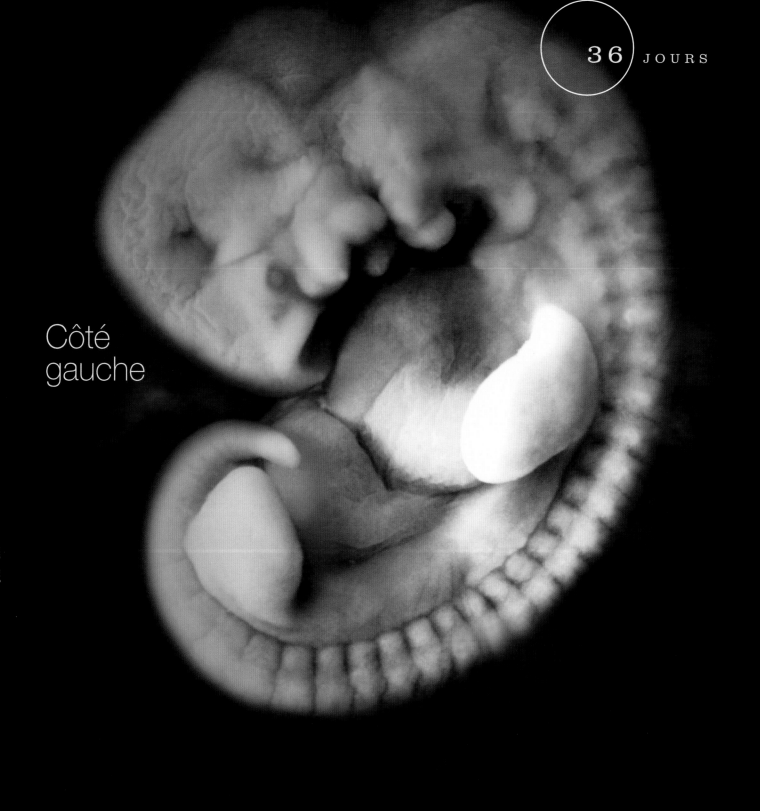

Côté
gauche

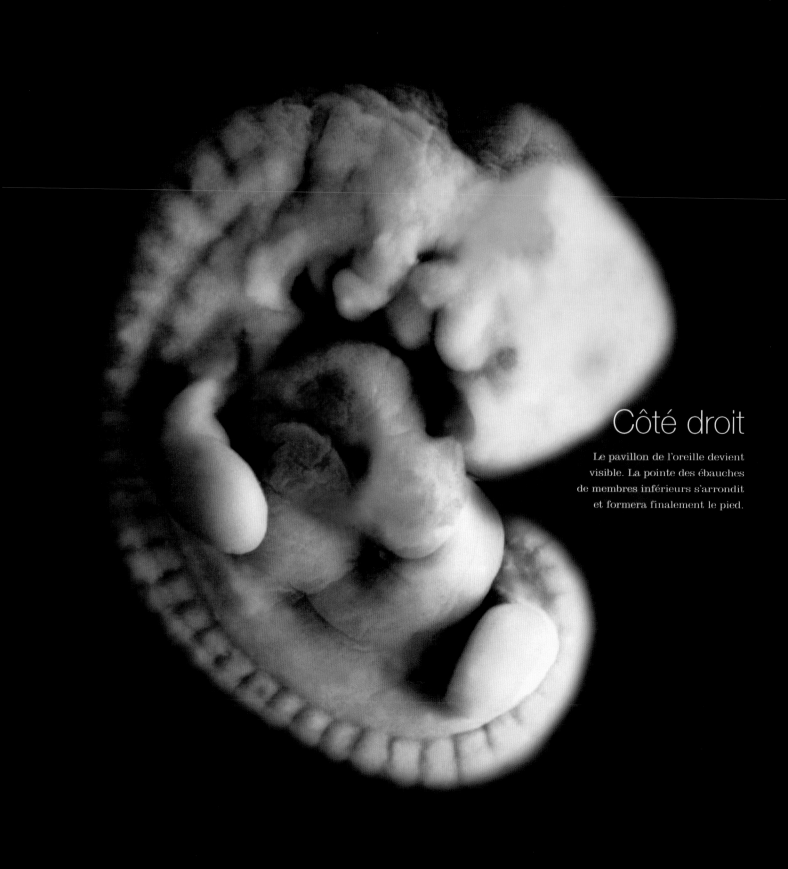

Côté droit

Le pavillon de l'oreille devient
visible. La pointe des ébauches
de membres inférieurs s'arrondit
et formera finalement le pied.

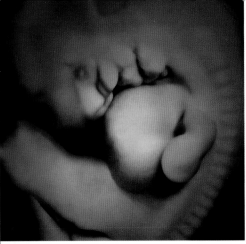

Gros plan de l'extrémité de la queue, vue de face.

Page de droite

Rendre la peau transparente nous permet de voir le système cardio-vasculaire comme si nous regardions dans une maison de verre.

40 JOURS

LE VISAGE DU BÉBÉ

La physionomie. Chaque jour de nouvelles structures en créent de plus nouvelles encore. Les traits du visage commencent à évoluer rapidement. Une gouttière se dessine juste sous la fosse nasale, la mâchoire et la lèvre inférieure naissantes. Un ou deux jours plus tard se produit la fusion des moitiés droite et gauche des mâchoires, formées de part et d'autre d'une fente. Deux jours plus tard encore, quand les mâchoires sont bien formées, les noyaux précurseurs des dents et des muscles faciaux grossissent, tandis que les arcs branchiaux, vestiges d'un lointain passé, régressent.

De fins îlots de tissu surgissent à l'endroit où le pavillon de l'oreille grossira. Les yeux se colorent et, en vingt-quatre heures, les muscles oculaires – parmi les plus délicats de l'organisme – commencent à se former. Les fibres nerveuses se connectent à la région olfactive du cerveau, traçant la voie pour le sens de l'odorat.

Dans le même temps, le cœur se divise en cavités, pendant que le foie prend en charge la fabrication des cellules sanguines, jusque-là dévolue au sac vitellin qui commence à dépérir.

Si le premier mois fut celui d'une longue période de préparation, le deuxième mois est celui de la construction intensive du bébé. Bien que les risques de malformation fœtale persistent, ils s'effondrent rapidement, à mesure que l'embryon acquiert une forme distinctement humaine.

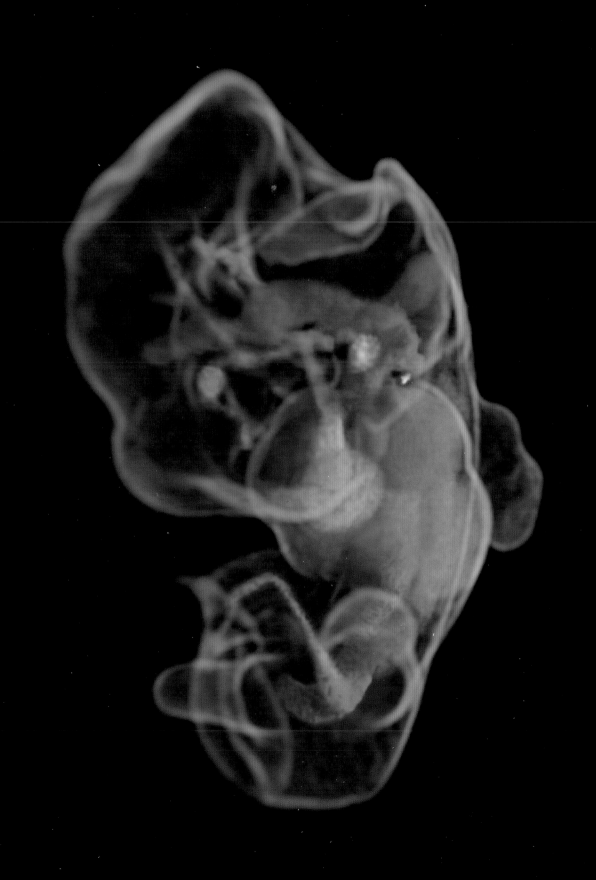

L'embryon à 40 jours

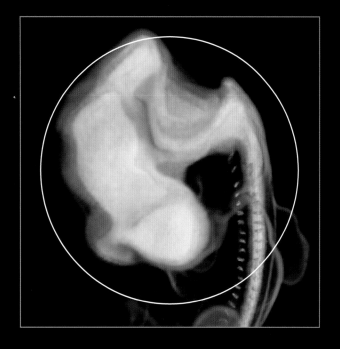

TAILLE ACTUELLE : 8 MM

UN GROS CERVEAU

Remarquez la proportion importante occupée
par le cerveau. Il est déjà responsable de la régulation
de la circulation et des mouvements musculaires.

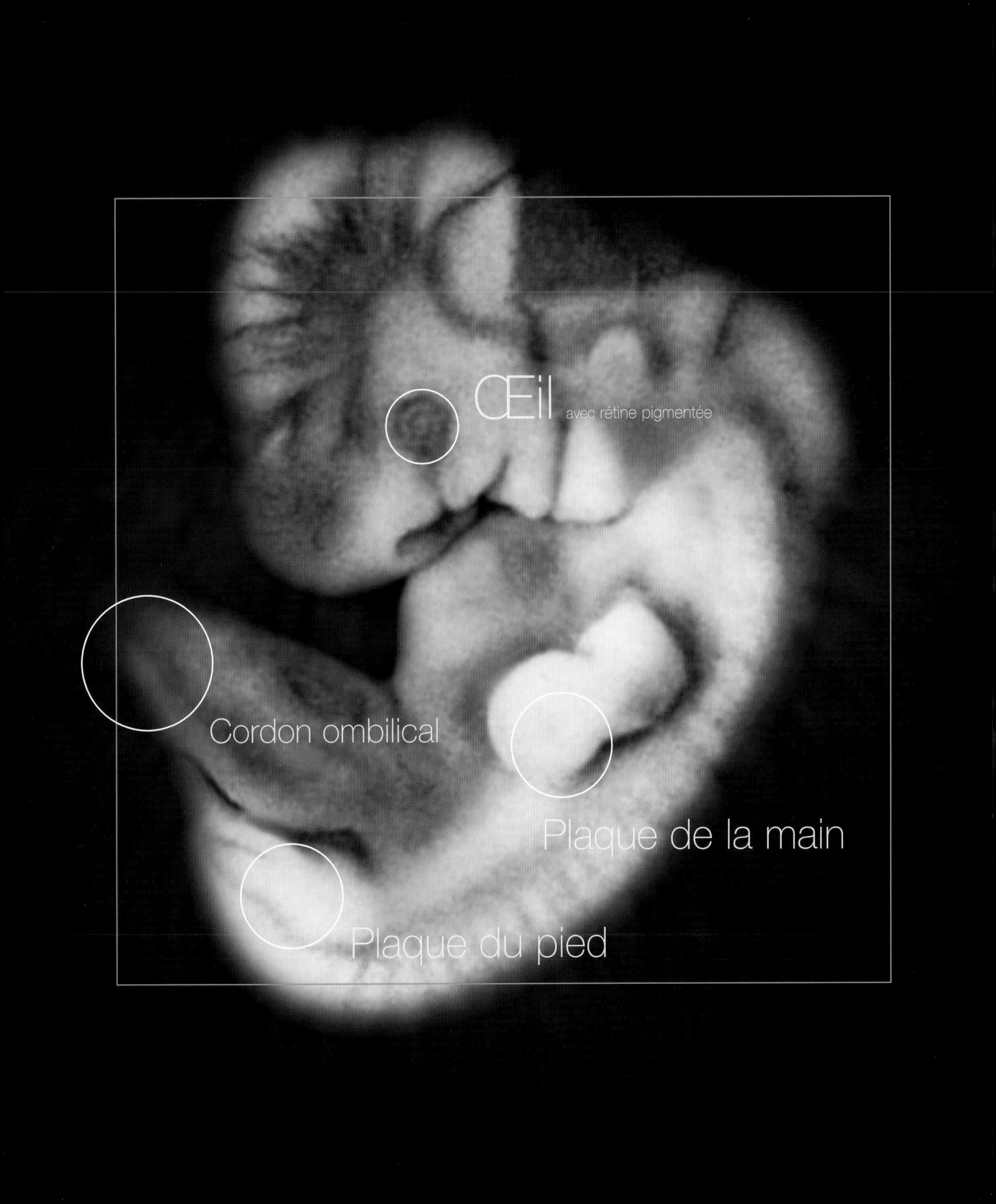

ŒEil avec rétine pigmentée

Cordon ombilical

Plaque de la main

Plaque du pied

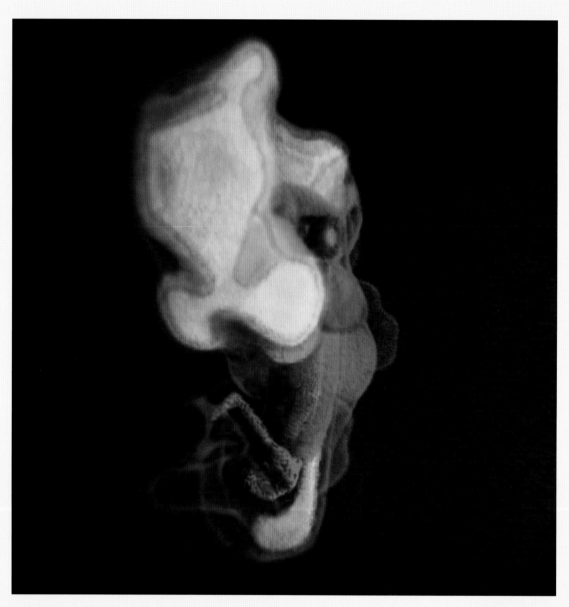

Cette vue de face met en évidence le système nerveux et le sang, d'un blanc plus lumineux que le reste du corps.

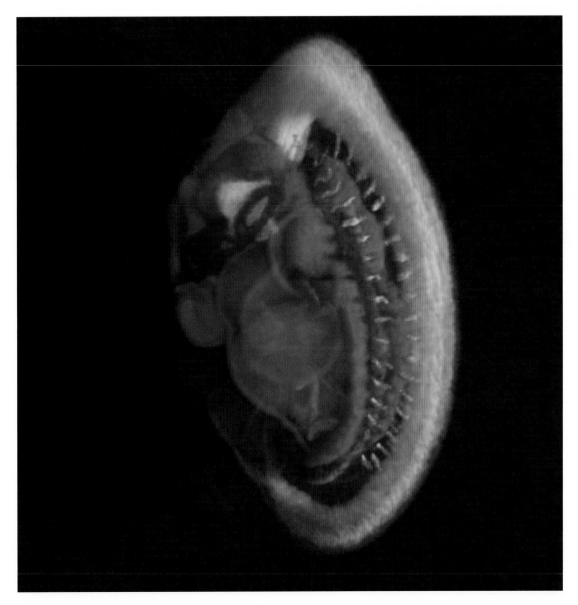

Vue de dos : la moelle épinière et les terminaisons nerveuses.

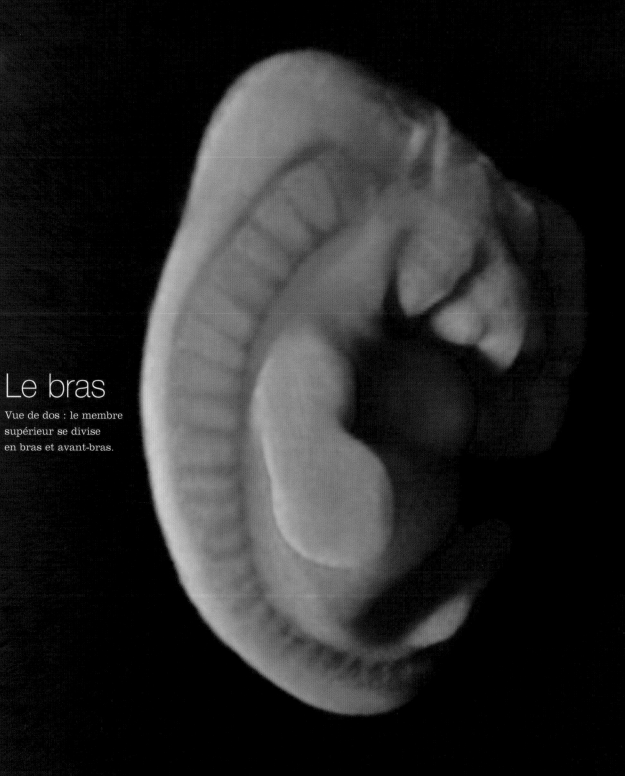

Le bras

Vue de dos : le membre
supérieur se divise
en bras et avant-bras.

Les cavités
cardiaques

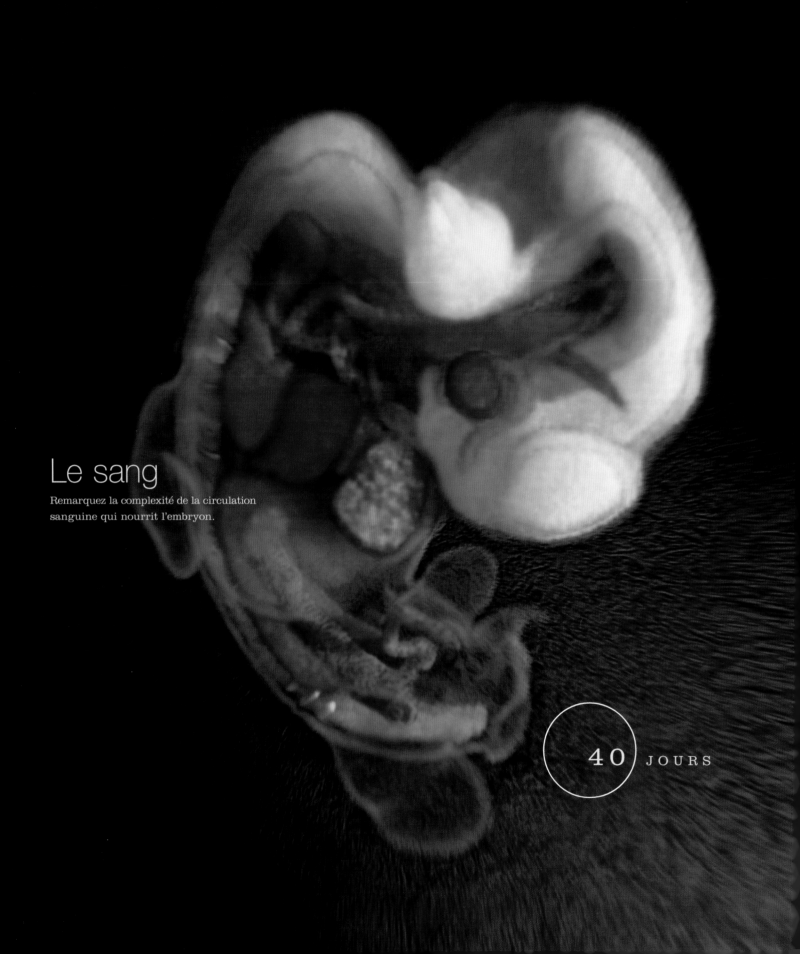

Le sang

Remarquez la complexité de la circulation
sanguine qui nourrit l'embryon.

40 JOURS

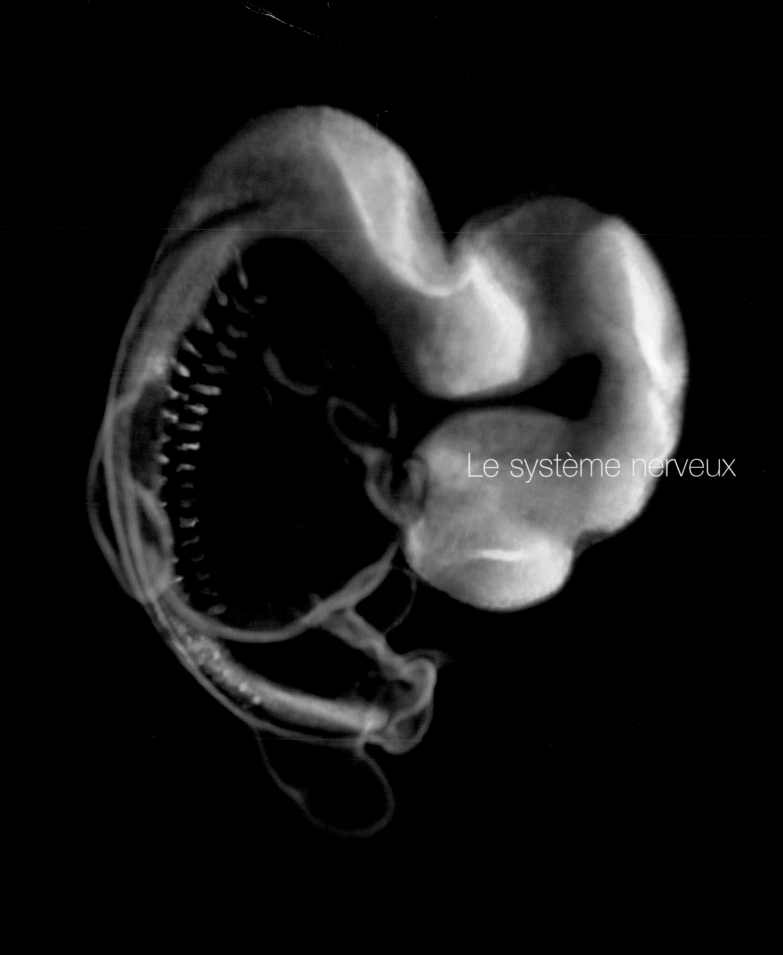

Le système nerveux

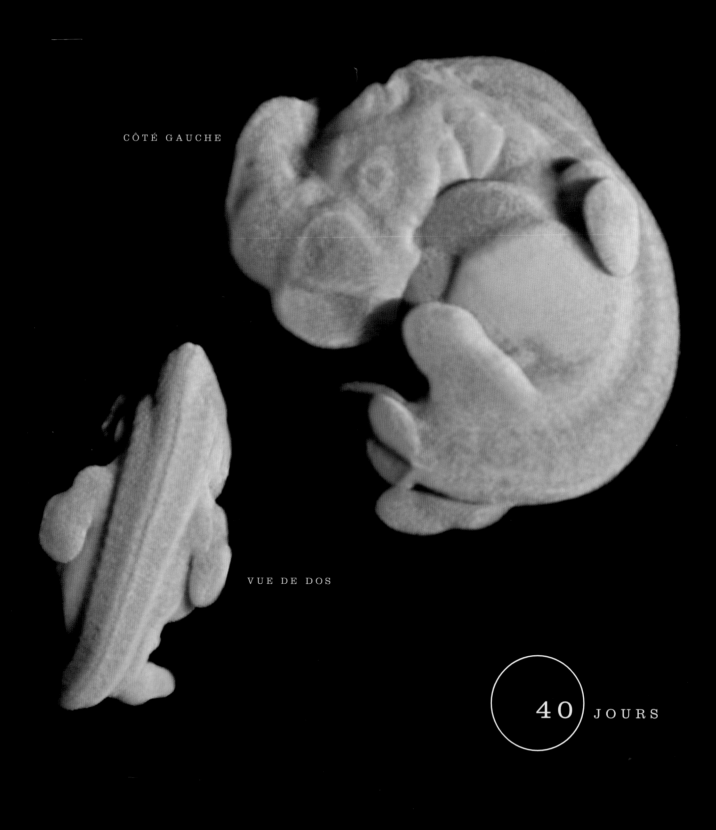

CÔTÉ GAUCHE

VUE DE DOS

40 JOURS

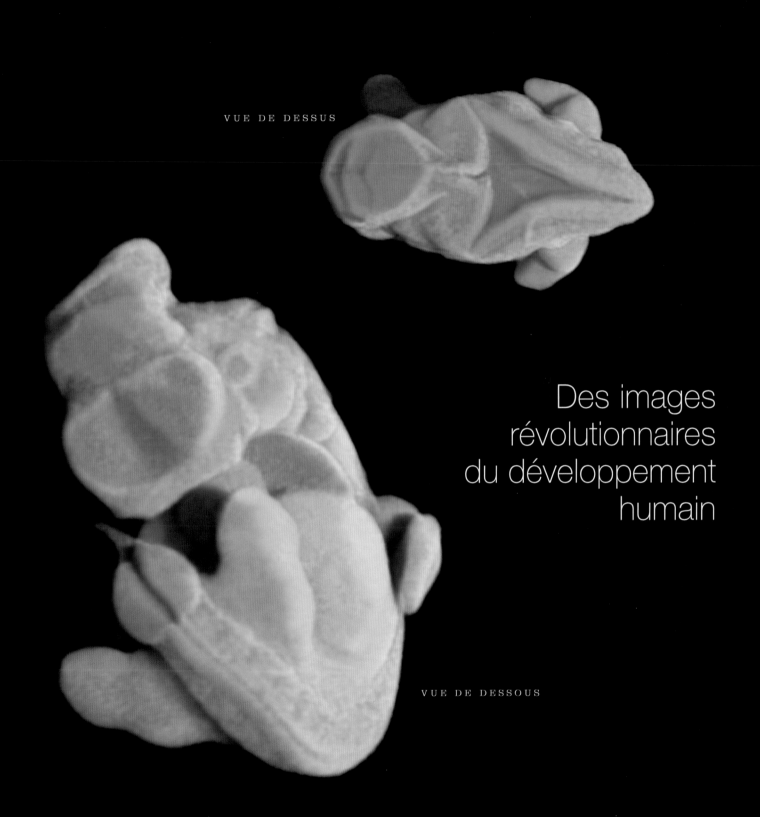

VUE DE DESSUS

VUE DE DESSOUS

Des images
révolutionnaires
du développement
humain

L'embryon à 42 jours

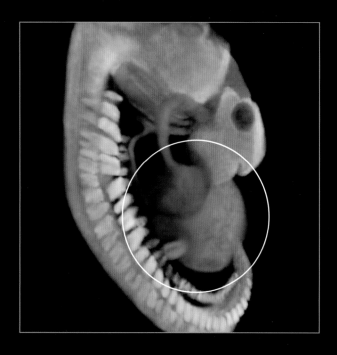

‖‖‖‖‖‖‖‖‖‖‖‖‖‖‖‖‖‖‖‖
TAILLE ACTUELLE : 11 MM

VUE INTERNE DE L'EMBRYON À 42 JOURS
Les bourgeons neuraux sont nettement formés le long
de la moelle épinière. Leur diamètre mesure à peine
un centième de celui d'un cheveu adulte, et certains
atteindront plus d'un centimètre de diamètre.
Pendant ce temps, l'embryon développe son sens de l'odorat.
Dans le cercle, vous pouvez voir l'estomac et le foie.

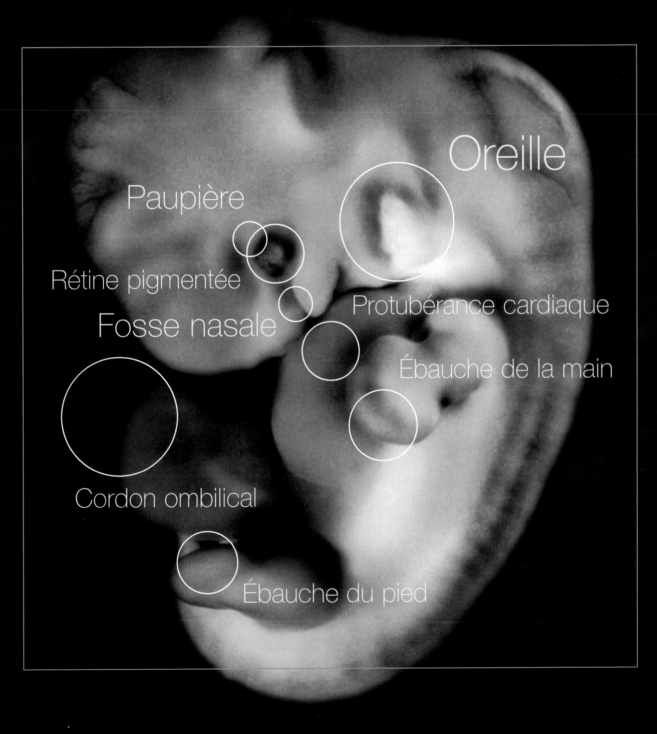

Les mains

Les mains sont
mieux dessinées,
des stries se forment
entre les « doigts ».

Les hormones

La glande responsable de la croissance
du système hormonal
se développe dans le cerveau.

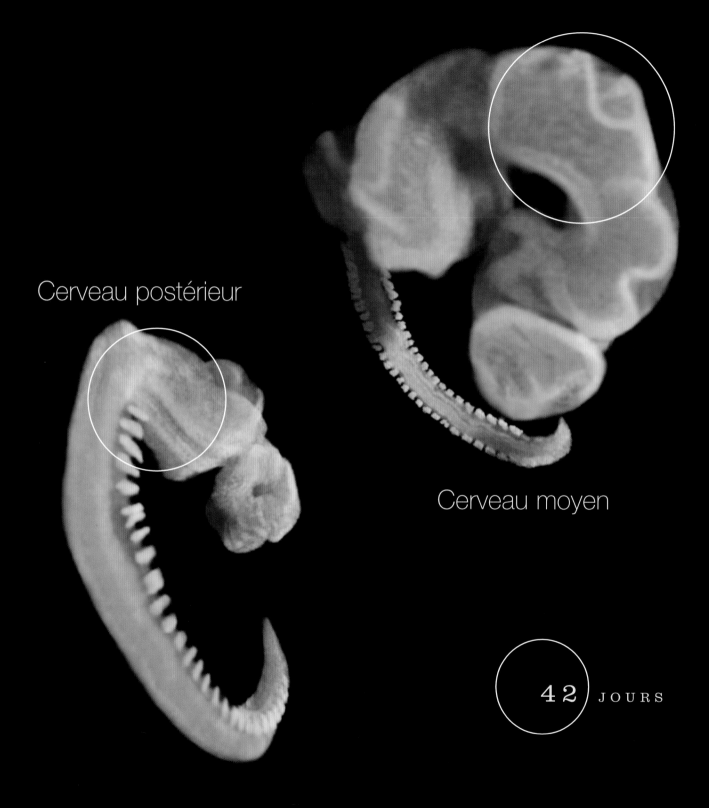

Cerveau postérieur

Cerveau moyen

42 JOURS

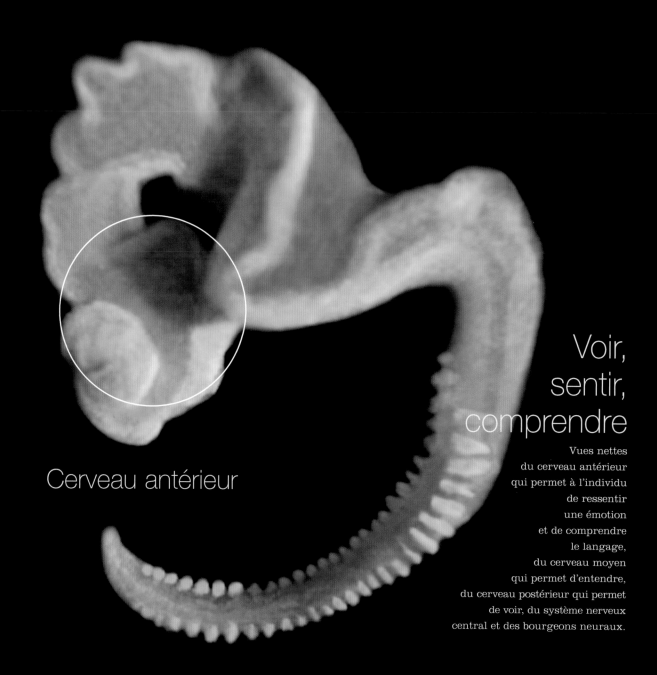

Cerveau antérieur

Voir, sentir, comprendre

Vues nettes
du cerveau antérieur
qui permet à l'individu
de ressentir
une émotion
et de comprendre
le langage,
du cerveau moyen
qui permet d'entendre,
du cerveau postérieur qui permet
de voir, du système nerveux
central et des bourgeons neuraux.

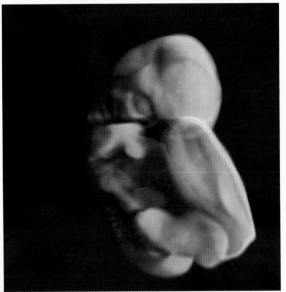

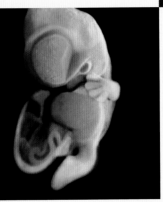

LES YEUX, LES OREILLES ET LES DOIGTS

Les sens. Bien qu'il ne mesure encore que 13 millimètres et pèse moins lourd qu'un ticket de bus, l'embryon voit germer des doigts rudimentaires. Les cellules nerveuses ont formé la rétine. Le palais et les canaux semi-circulaires de l'oreille sont apparus. Les lignes lactifères, qui anticipent la formation des glandes mammaires, émergent chez les deux sexes. Chez le garçon, le pénis commence à se former. Alors que l'os et le cartilage s'allongent partout dans le corps, le pied s'affine et la région de la cheville devient visible. Remarquez, sur l'image de droitr, que les mains et les doigts se développent trois à quatre jours avant les pieds et les orteils.

44 JOURS

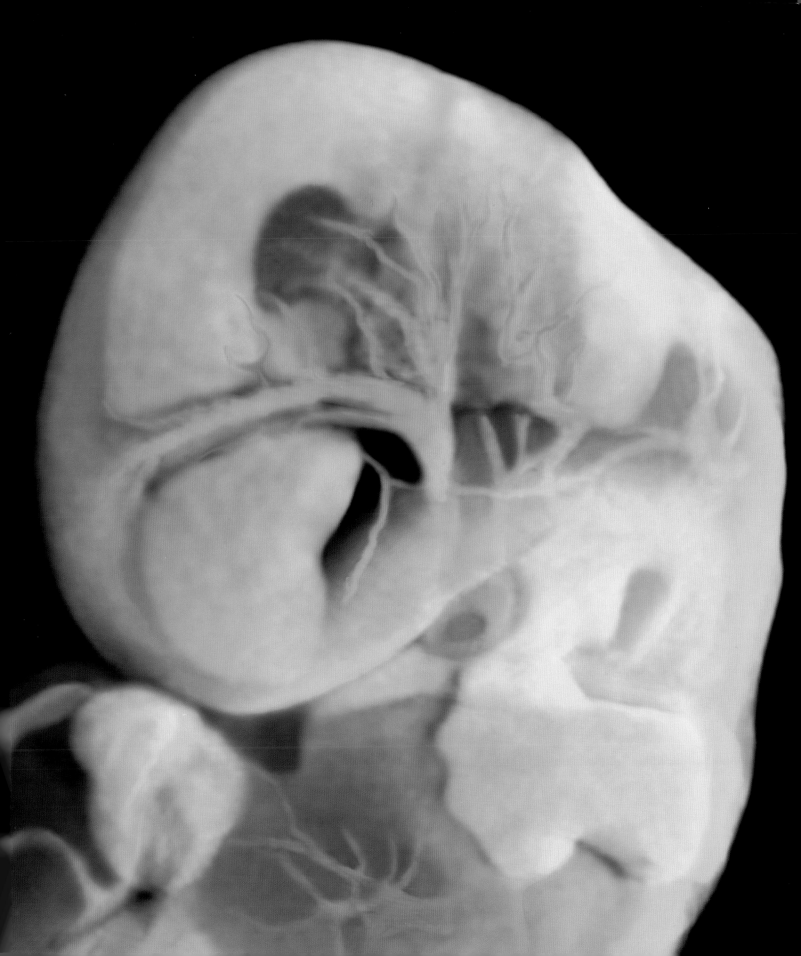

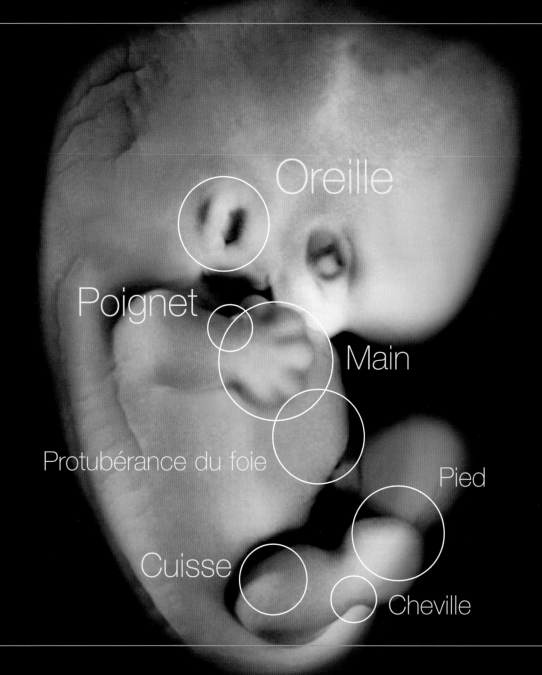

Oreille

Poignet

Main

Protubérance du foie

Pied

Cuisse

Cheville

L'embryon à 44 jours

TAILLE ACTUELLE : 13 MM

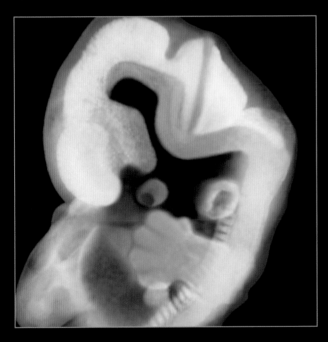

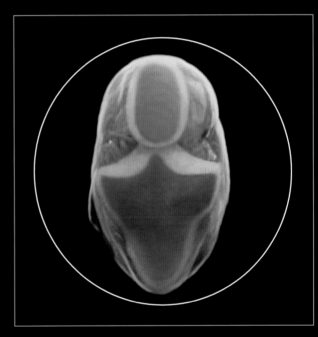

LE CERVEAU
En blanc, le quatrième ventricule du cerveau.
Cette portion contrôle la circulation sanguine.

Vue de dessus montrant les rapports entre le cerveau
(en jaune) et la circulation sanguine cérébrale (en rouge).
Les nerfs intègrent l'épicrâne.

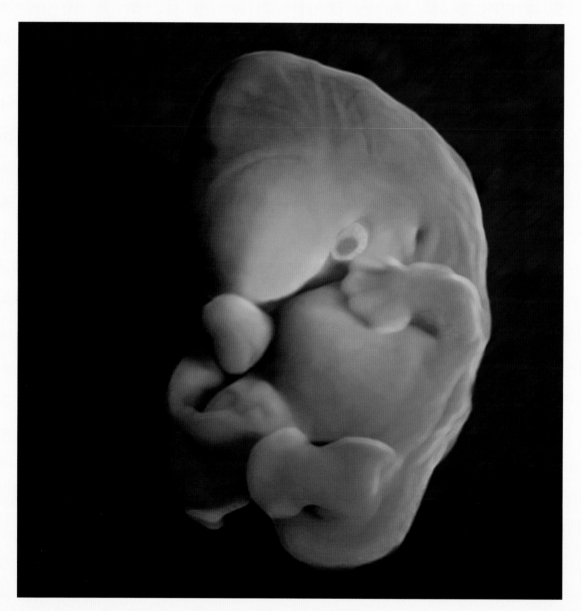

Vue, modifiée par les moyens techniques, d'un embryon de 44 jours.

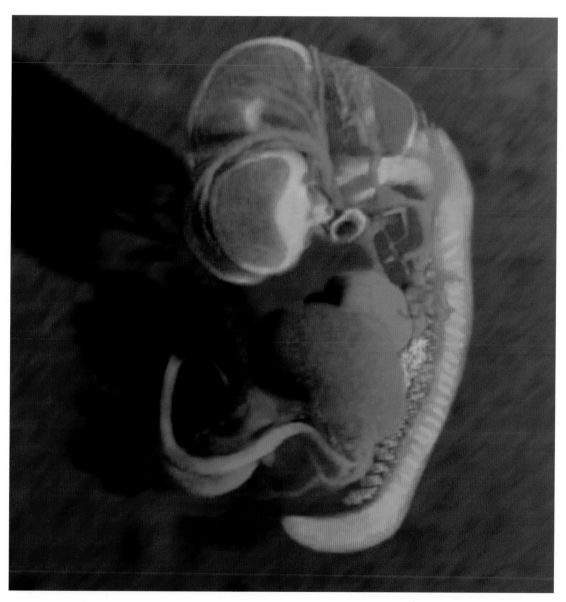

Cette technologie nous permet de voir le développement des organes internes chez ce même embryon de 44 jours.

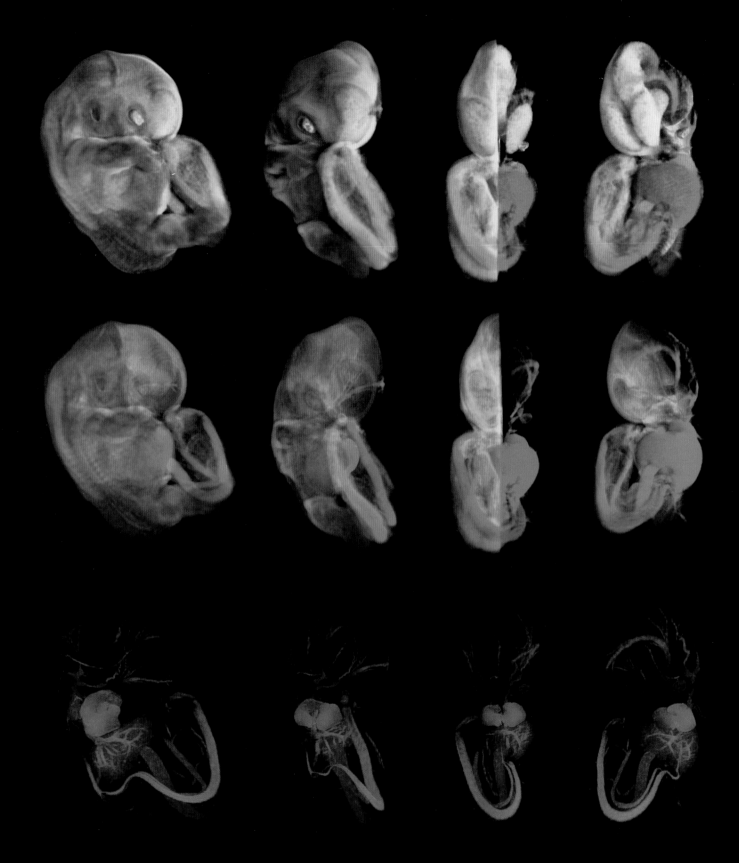

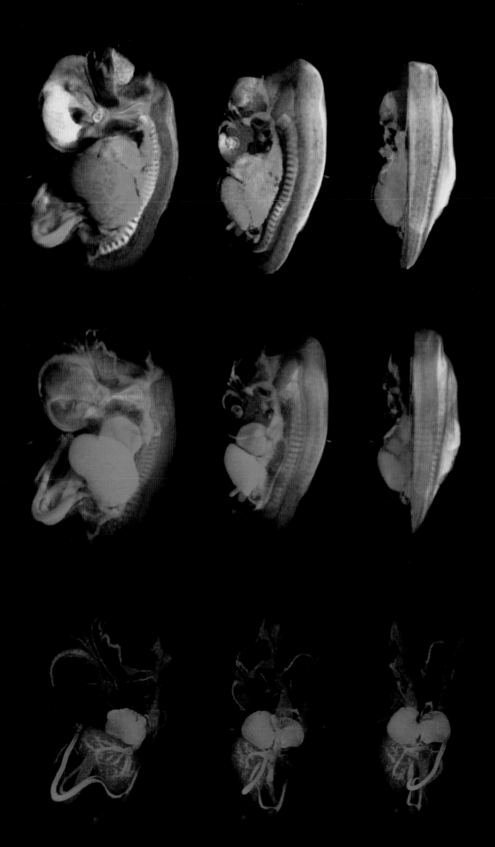

Montrer
la circulation
sanguine

Grâce aux techniques d'imagerie
progressive en rotation, ces images
montrent la grande quantité de sang
nécessaire pour ravitailler l'extraordinaire
croissance d'un embryon de 44 jours.
Les images en bas de la page
montrent l'appareil circulatoire isolé.

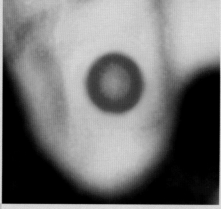

4 SEMAINES

6 SEMAINES

Le développement de l'œil se poursuit
pendant toute la gestation.
4 semaines : un point à peine visible
montre que l'œil est déjà présent.
6 semaines : l'œil devient un organe
distinct, avec une rétine pigmentée.
La paupière commence à se former.
8 semaines : gros plan
sur la formation des paupières.
24 semaines : les paupières,
complètement closes
autour de la 9ᵉ semaine,
s'ouvrent à nouveau
autour de la 26ᵉ.

L'ŒIL

Le développement de l'œil devient visible après environ vingt-deux jours de gestation.
Deux renflements symétriques – les fentes optiques – apparaissent sur la zone cérébrale
la plus précoce. L'œil humain est une structure extrêmement complexe. La cornée et le
cristallin doivent être transparents et correctement alignés pour permettre le trajet de la
lumière de l'extérieur jusqu'à la rétine. En retour, la rétine doit être organisée pour recevoir
les signaux visuels et les transmettre aux zones spécifiques du cerveau. Pendant que
tout cela se met en place, au deuxième trimestre, plus d'un million de fibres du nerf
optique croissent à l'extérieur du cerveau pour se connecter à chaque œil. Perçant un
tunnel dans l'os de l'orbite, elles aboutissent avec précision. Vers six mois, les yeux
deviennent sensibles à la lumière et à l'ombre, mais ils ne peuvent voir aucun objet.

8 SEMAINES

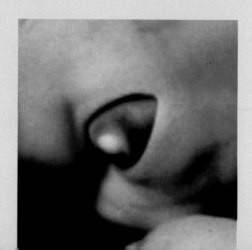

24 SEMAINES

24 SEMAINES

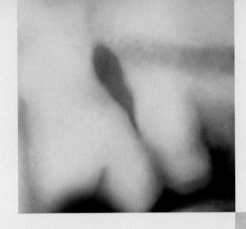

4 SEMAINES

6 SEMAINES

L'OREILLE

L'ouïe à vingt-quatre semaines. Parmi les cinq sens, la possibilité d'entendre est la première à nous apprendre que nous ne sommes pas seuls au monde. Pincée, repliée, ourlée, la corne d'abondance de l'oreille se façonne peu à peu en trois parties, à partir de la fine peau embryonnaire et d'une protubérance du bas du visage. À l'âge adulte, elle sera assez sensible pour percevoir un murmure et assez résistante pour supporter un coup de canon. Vers le cinquième mois, le fœtus entend ses premiers sons : la cacophonie interne du corps et la voix maternelle à la lointaine frontière du monde fœtal.

La formation de la mâchoire s'accompagne d'un changement significatif de l'implantation de l'oreille.

4 semaines : une gouttière apparaît nettement à l'endroit où l'oreille se développera.

8 semaines : l'oreille externe commence à se former.

24 semaines : les oreilles externes atteignent leur position finale autour de la 14ᵉ semaine, stagnent pendant deux semaines, puis reprennent leur progression vers leur taille et leur forme finales pendant le reste de la gestation.

8 SEMAINES

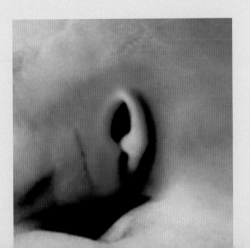

Protégé et nourri

Le bébé dans la cavité amniotique.

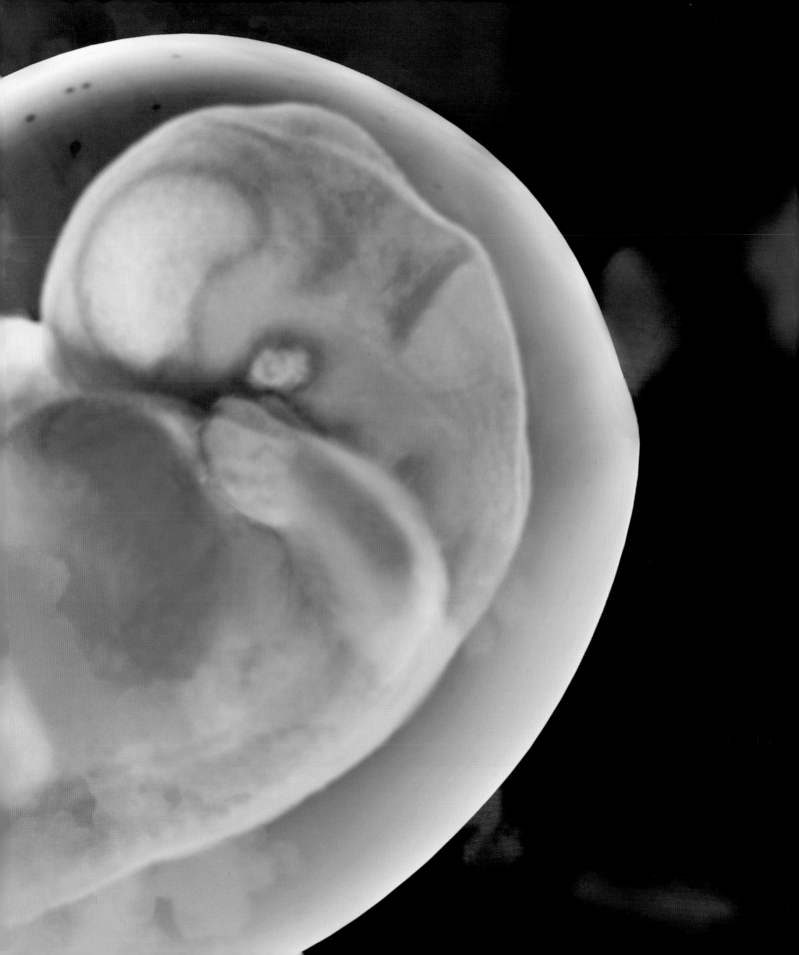

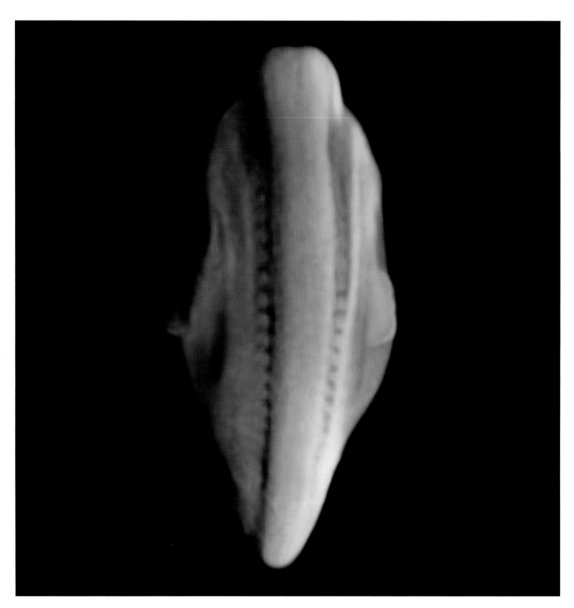

Vue de dos : l'embryon possède une colonne vertébrale et un squelette.

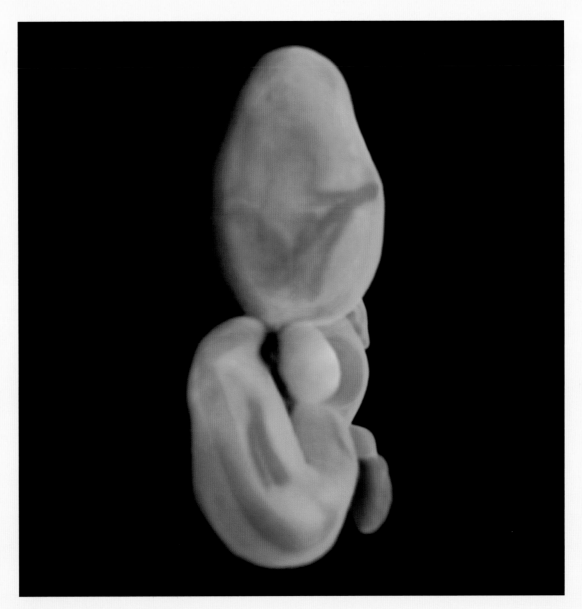

Vue de face : le cordon ombilical.

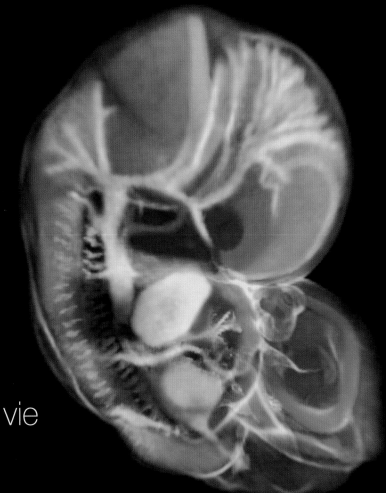

Le cœur insuffle la vie

La transparence artificielle de la peau
sur ces deux images nous montre la complexité
du système cardio-vasculaire (en rose).

44 JOURS

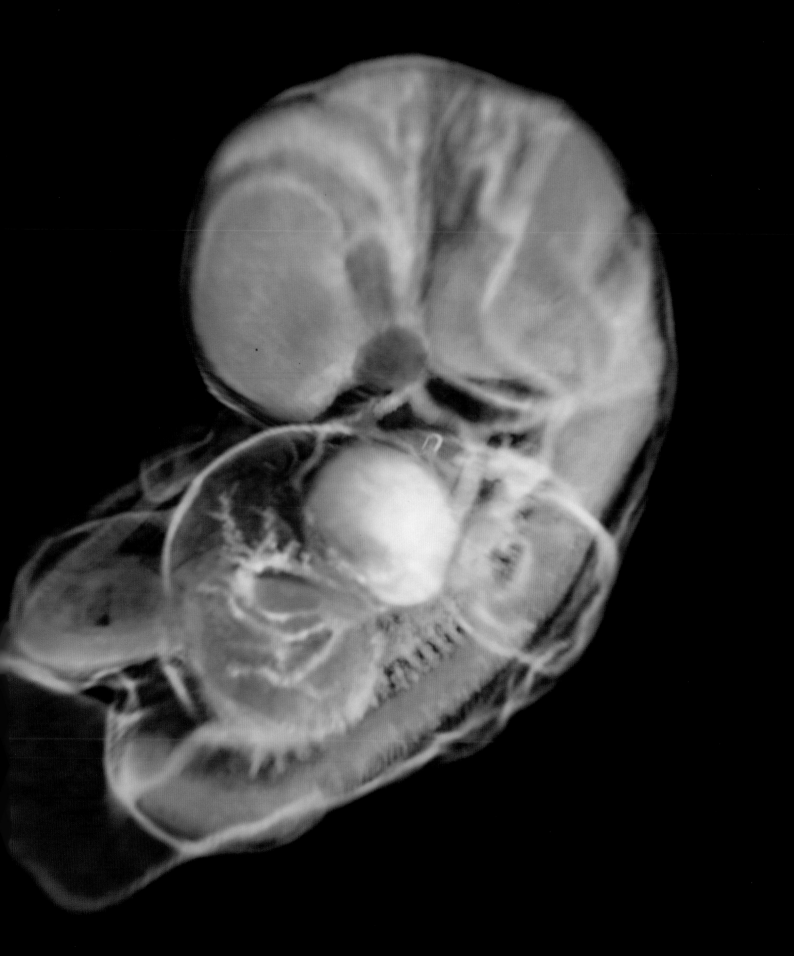

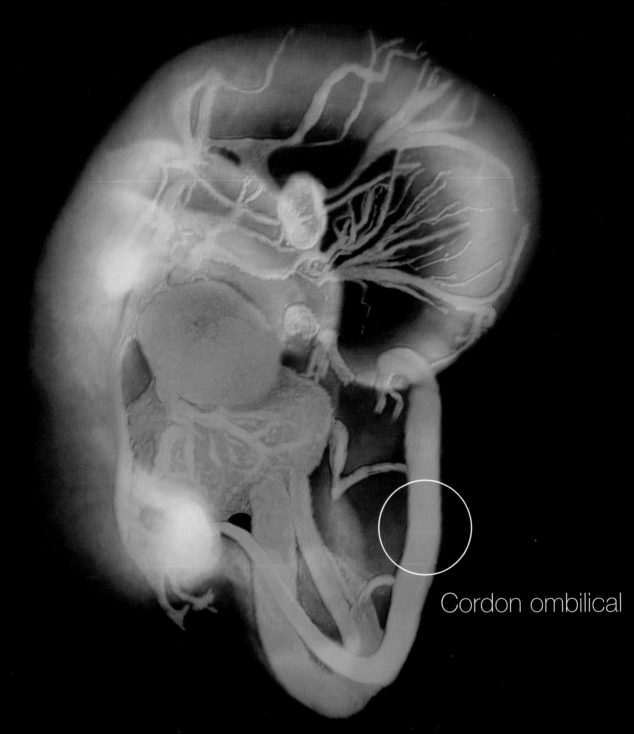

44 JOURS

Cordon ombilical

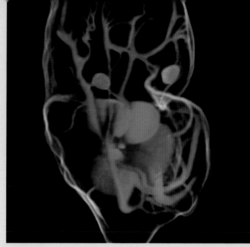

6 SEMAINES

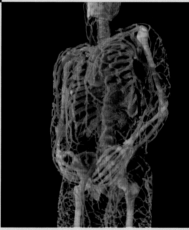

L'APPAREIL CIRCULATOIRE

Le sang transporte plusieurs substances et assure de nombreuses activités. Son rôle principal est de véhiculer l'oxygène et les nutriments dans le corps et de récupérer les déchets organiques. Ce phénomène débute dès la deuxième semaine de gestation et, au vingtième jour, un réseau de canaux imperméables se ramifie dans l'embryon. La croissance de ce système est un peu en avance sur celle du bébé. Ce réseau prolifère dans toutes les directions, ce qui stimule de nouvelles zones de développement. Après la naissance, il assure également la régulation de la température du bébé, en distribuant vers les zones froides la chaleur produite par les zones actives, dont les muscles.

ADULTE
Le système circulatoire mature est beaucoup plus élaboré que celui d'un embryon.

Page de gauche
Les deux principaux courants sanguins fusionnent à côté du tube neural à 3 semaines, et un cœur minuscule commence à battre deux fois plus vite que celui de la mère. Le cordon ombilical assure la connexion entre les systèmes cardio-vasculaires de l'embryon et de la mère.

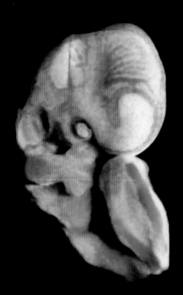
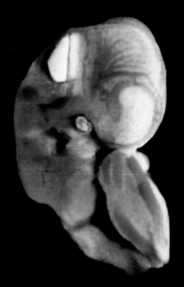

Voir l'intérieur

Les nouvelles techniques d'imagerie
non invasives nous mènent, comme
dans un film, à l'intérieur d'une vie
débutante à un stade très précoce.
À 44 jours, les viscères existent
mais ne sont pas entièrement développés.
À ce stade, 99 % des muscles, tous déjà
innervés, peuvent être identifiés.

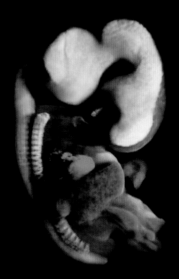

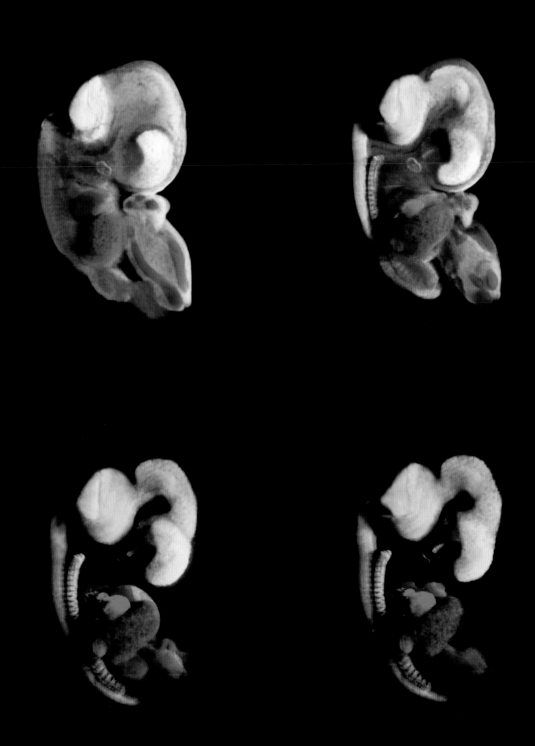

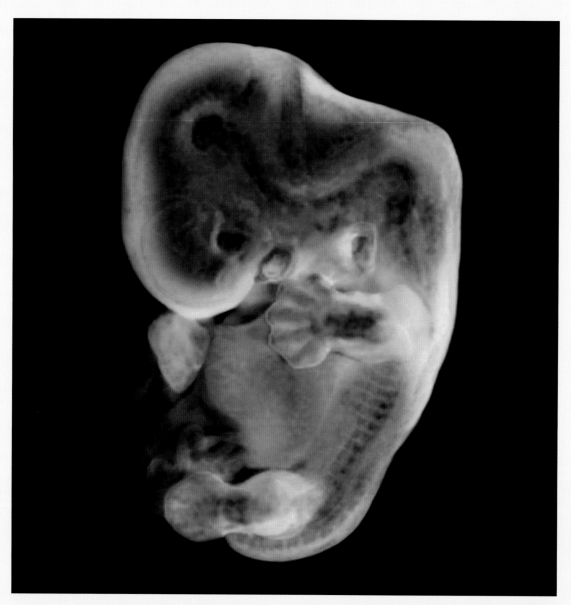

Le flux sanguin alimente l'embryon à partir de la mère. À 44 jours, le rein du bébé répond pour la première fois à ce métabolisme par la production d'urine.

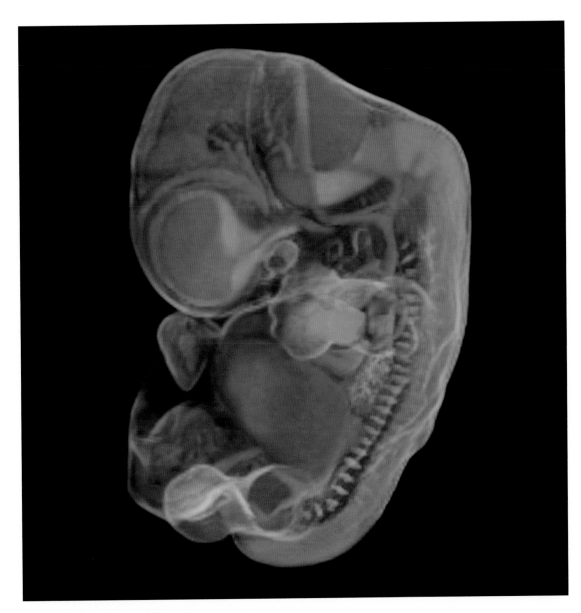

Les vertèbres commencent à se former.

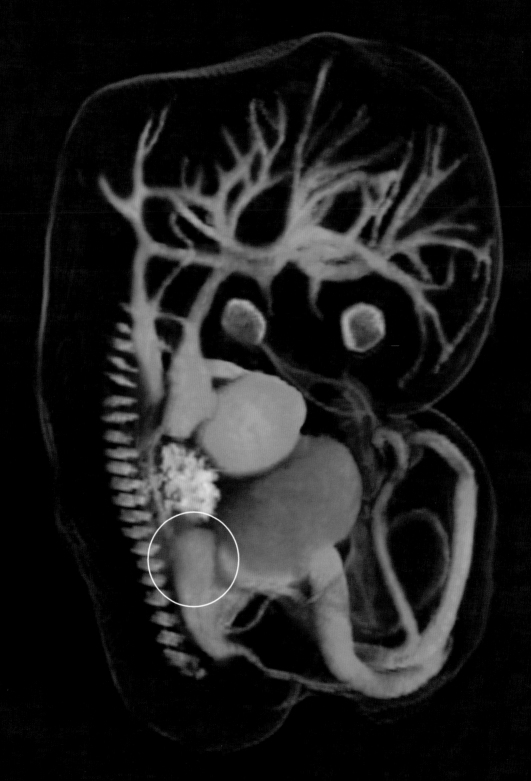

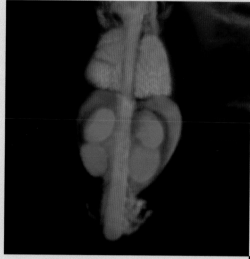

9 SEMAINES

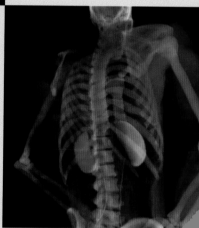

LE REIN

L'épuration. Trois groupes successifs de reins, dont le dernier se forme au troisième mois, épurent les déchets du sang. Chez l'adulte, ils filtrent 70 litres de sang à l'heure et 170 litres de plasma par jour, grâce à deux millions de filtres microscopiques qui piègent les molécules. Les reins sont complètement formés pendant la vie utérine et comptent parmi les premiers organes qui deviendront fonctionnels dès la naissance, quand les déchets ne pourront plus être refoulés vers la mère à travers le placenta. De nombreux nouveau-nés urinent d'ailleurs dès que leur cordon ombilical est coupé.

ADULTE

Page de gauche
Le flux sanguin alimente l'embryon à partir de la mère. Les reins (en rose) produisent de l'urine pour la première fois à 6 semaines.

Ci-dessus
Observez l'emplacement et la taille des reins chez l'adulte comparés à l'abdomen d'un fœtus de 9 semaines.

L'embryon à 48 jours

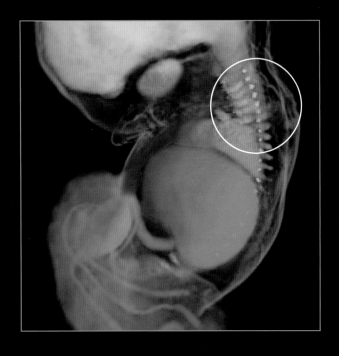

TAILLE ACTUELLE : 16 MM

TRANSPARENCE

L'imagerie moderne ouvre une fenêtre
sur la complexité du corps. Sur cette image
particulièrement, observez le squelette
et le système nerveux.

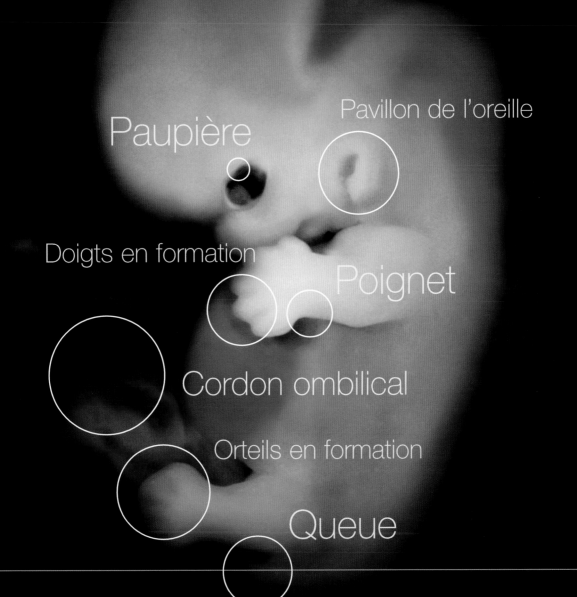

Paupière

Pavillon de l'oreille

Doigts en formation

Poignet

Cordon ombilical

Orteils en formation

Queue

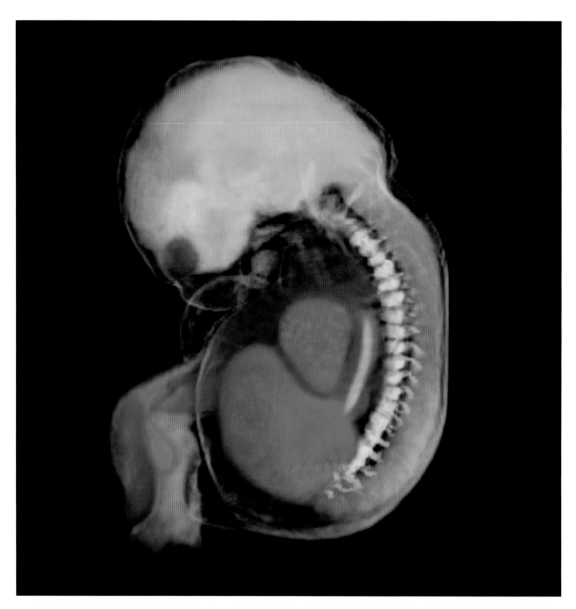

Le cartilage se transforme en os, procurant au bébé plus de souplesse et de force. Observez aussi l'œsophage (la ligne claire juste à gauche des vertèbres).

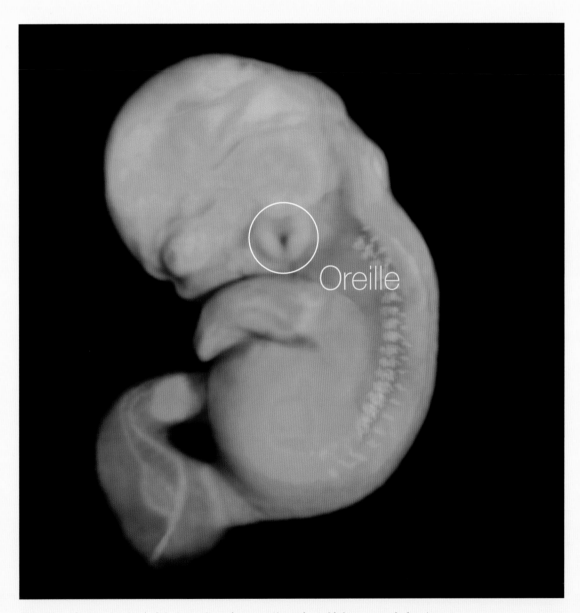

Oreille

L'oreille, désormais située à la base du crâne, continue à se déplacer vers le haut.

Flotter

L'oreille interne qui se développe permettra au fœtus
de sentir sa position et son équilibre dans l'utérus.

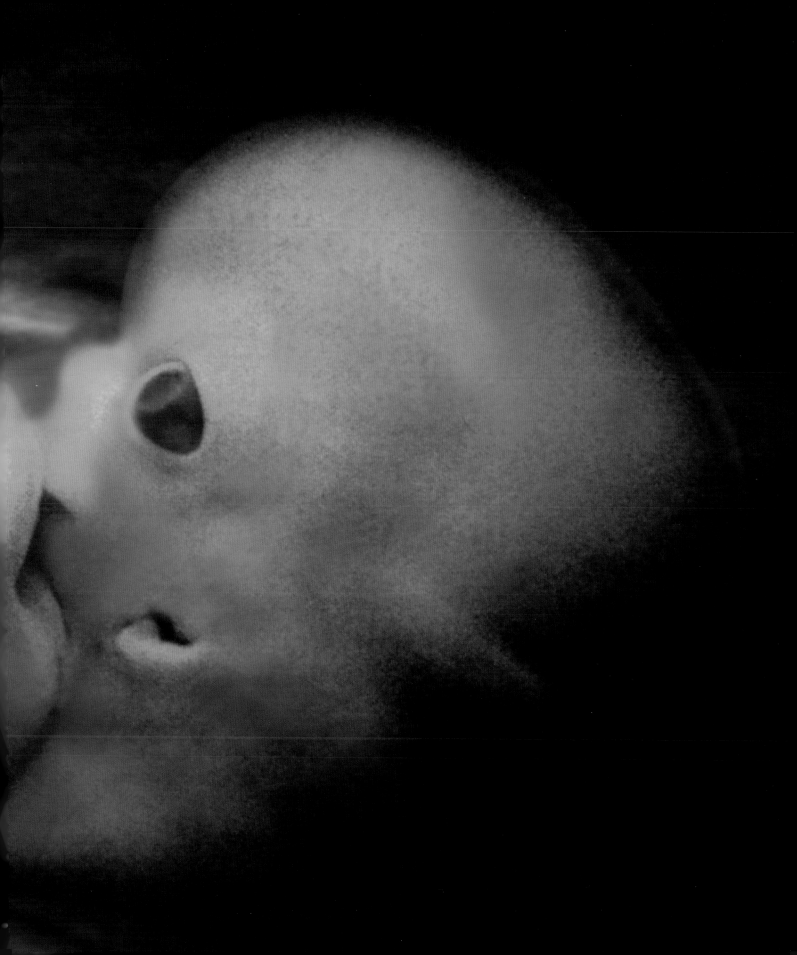

La dépendance

Les orteils ont commencé à se dessiner,
mais il reste un long chemin à parcourir
pour marcher. Vous pouvez voir nettement
les vaisseaux du cordon ombilical
qui nourrissent et épurent le sang du bébé.

48 JOURS

48 JOURS

Des bijoux lumineux

Observez la façon dont les racines nerveuses utilisent
les vertèbres comme un fourreau pour se guider
à travers le reste du système nerveux embryonnaire.

Le cerveau est relié aux muscles.
Le bébé fait ses premiers
mouvements involontaires.

CONSTRUIRE UN CORPS

Mille et une merveilles. Les ébauches des membres se développent rapidement pendant cette période, les membres supérieurs précédant à chaque étape les membres inférieurs de quelques jours. Ceci semble anticiper un phénomène ultérieur : les bébés humains saisissent avec leurs mains bien avant de pouvoir marcher. Les mains sont maintenant bien individualisées, avec des doigts palmés mais reconnaissables. Les bras sont divisés par les coudes. En quelques jours, l'os primitif commence à remplacer le cartilage des épaules, des bras, des jambes, des mâchoires et, dans une certaine mesure, de tout le squelette.

Comme les muscles du cou commencent à se façonner, la tête qui a augmenté de volume se redresse légèrement. La forme de l'embryon, en virgule serrée au début, est plus ouverte. Sa position est maintenant celle d'un gardien de nuit endormi sur sa chaise, la tête sur la poitrine. Le réseau sanguin qui alimente encore plus la croissance du cerveau apparaît au-dessus de l'œil, près de la tempe. Les tubules rénaux définitifs remplacent l'appareil embryonnaire provisoire de filtration du sang. Chez la fille, les ovaires commencent à migrer.

L'embryon à 51 jours

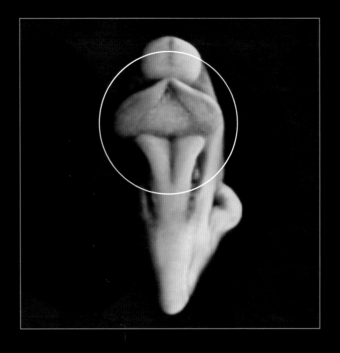

TAILLE ACTUELLE : 18 MM

Vue de dessus montrant le tissu cérébral qui recouvre
le 4ᵉ ventricule (dans le cercle) du cerveau.

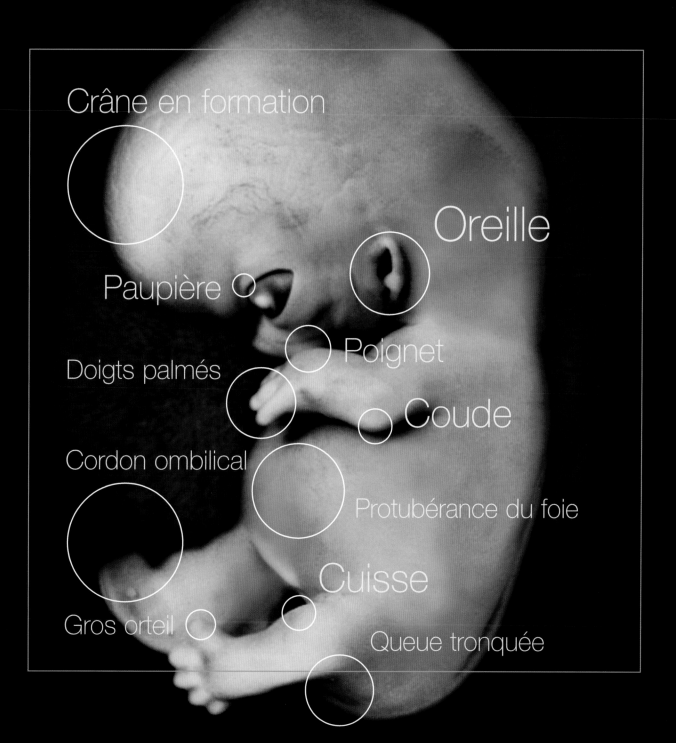

Crâne en formation

Oreille

Paupière

Poignet

Doigts palmés

Coude

Cordon ombilical

Protubérance du foie

Cuisse

Gros orteil

Queue tronquée

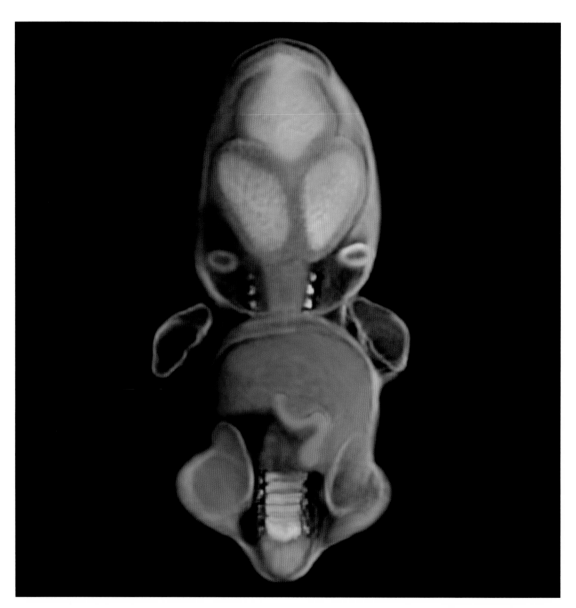

Cette magnifique vue frontale montre en transparence les vertèbres en formation dans le bas du dos.

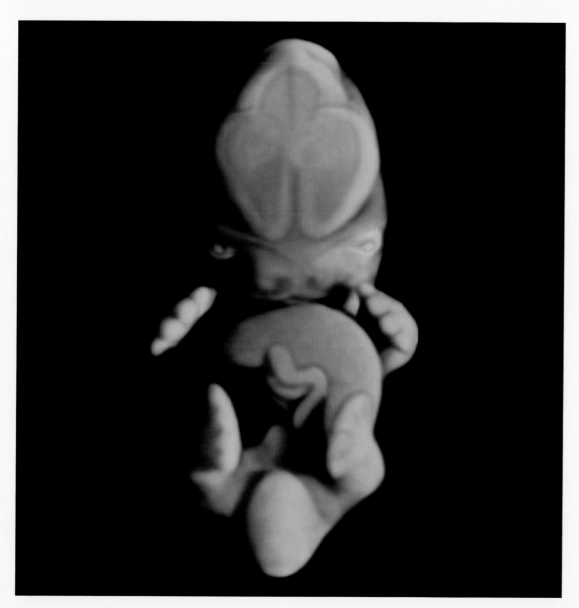

Un reste de queue est encore présent. Les narines sont formées.

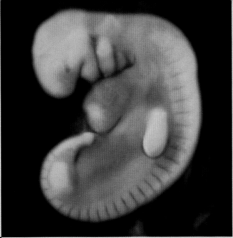

4 SEMAINES

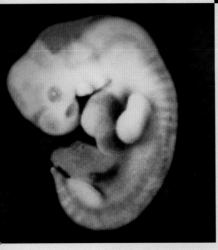

5 SEMAINES

4 semaines : les bras ressemblent
à des ailerons, les jambes
commencent à apparaître.
5 semaines : les mains se forment,
les jambes ressemblent
à des nageoires.
7 semaines : les bras se plient
au niveau du coude, les doigts
sont palmés, les orteils apparaissent.

LES MAINS, LES PIEDS

Un équipement précoce. Les rudiments de doigts apparaissent à six semaines, alors que l'embryon mesure 11 millimètres. Une semaine plus tard, tous les doigts sont visibles mais encore incomplètement formés. Pendant que les mains s'allongent et s'évasent comme des éventails dans les semaines suivantes, les doigts commencent à s'ouvrir et se fermer. Les ongles poussent, le pouce grandit, de fins sillons – les futures empreintes digitales – naissent au bout des phalanges. À la treizième semaine, les structures de la main sont complètes, avec les vingt-sept os reliés par une multitude de ligaments. Un mois plus tard, elle peut agripper fermement, ce qui démontre une force musculaire et la coordination des réflexes. Le bébé commence alors à sucer son pouce, parfois si avidement que les médecins ont raconté avoir pu observer des callosités du pouce à la naissance.

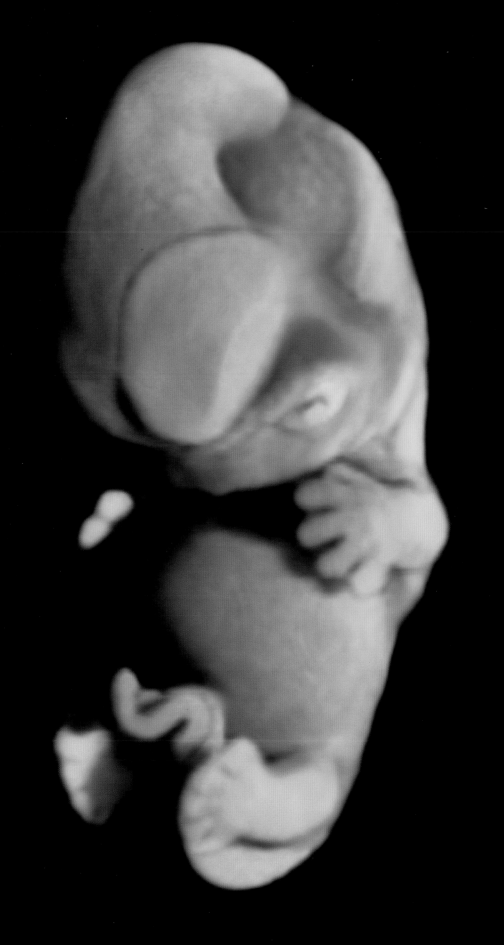

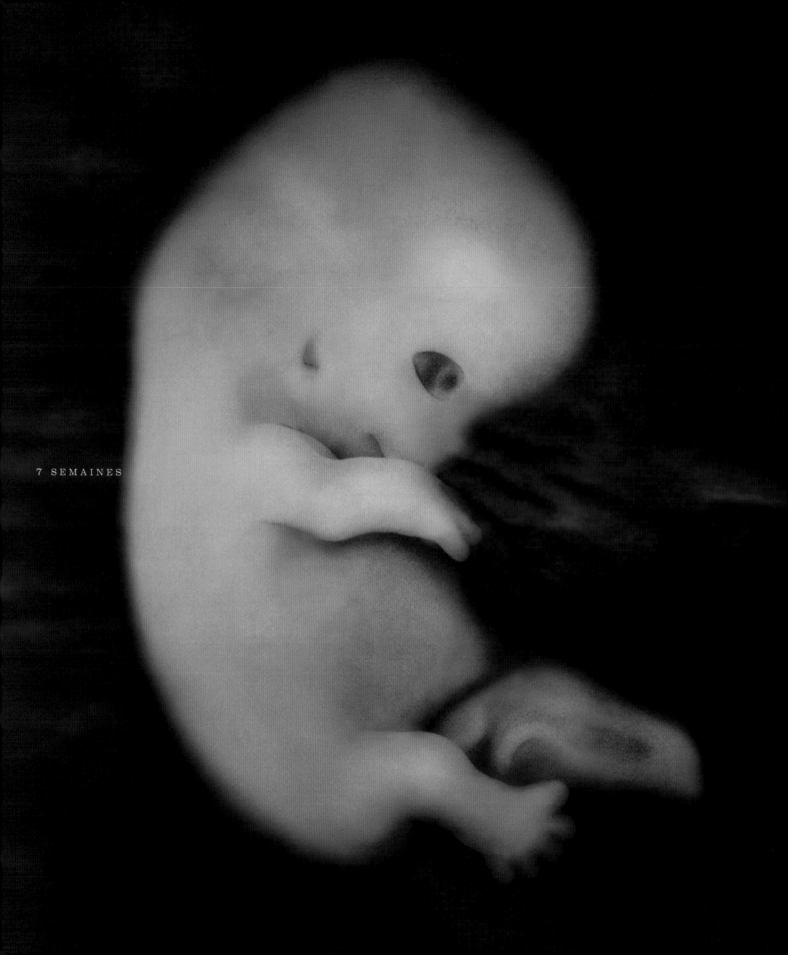

7 SEMAINES

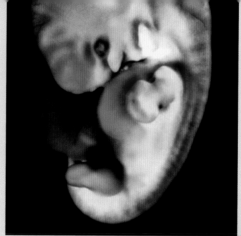

6 SEMAINES

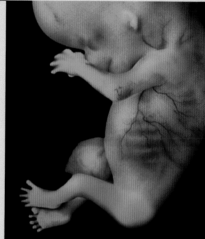

8 SEMAINES

LES MAINS, LES PIEDS

Sur ses deux pieds. Les os sont des tissus vivants actifs, et aucune région du corps n'en présente une telle densité : vingt-six os dans chaque pied, liés par des bandes de tissu fibreux résistantes. La formation des pieds débute par de petites nageoires à l'extrémité des bourgeons de jambes vers six semaines, alors que l'embryon mesure à peine 11 millimètres. La nature construit les appendices dans l'ordre où ils seront utilisés : le bébé agrippant des objets avant de tenir debout et de marcher, les pieds commencent à se former une semaine après les mains. À treize semaines, les orteils sont articulés, le talon est formé, et l'architecture osseuse du pied est en place. Merveille de conception, le pied est un arc élastique qui s'aplatit quand nous le posons au sol et s'incurve quand nous le levons. Cette forme détermine le style de marche spécifiquement humain, avec le balancement des jambes d'avant en arrière lorsque nous marchons à grands pas.

6 semaines : les doigts et les pieds commencent à se former.
7 semaines : les doigts et les orteils sont distincts et allongés.
8 semaines, les coudes sont pliés, les bras et les jambes sont bien dessinés.

La main se développe beaucoup plus vite que le pied.

À 51 jours, les doigts en formation ne peuvent encore bouger de manière indépendante.

Coude

Genou

L'embryon à 52 jours

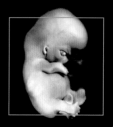

TAILLE ACTUELLE : 26 MM

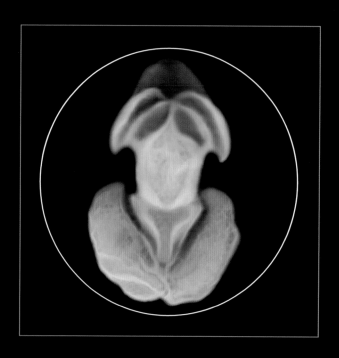

En bas de l'image se trouvent les hémisphères cérébraux qui deviendront les parties droite et gauche de l'encéphale. Juste au-dessus, le cerveau moyen contient divers éléments, dont ceux qui deviendront le thalamus.

Le thalamus est un relais qui reçoit, interprète et oriente les signaux sensitifs venant à la fois de la moelle épinière et du cerveau moyen, avant de les diriger sur le cortex et les autres sites cérébraux. Les deux structures en forme de croissant formeront le cervelet, étroitement relié aux autres régions du cerveau et de la moelle épinière. Il facilite les mouvements harmonieux et précis, contrôle l'équilibre et les postures, joue un rôle dans l'élocution.

L'extrémité en haut de l'image deviendra le bulbe rachidien qui relie le cerveau et la moelle épinière.

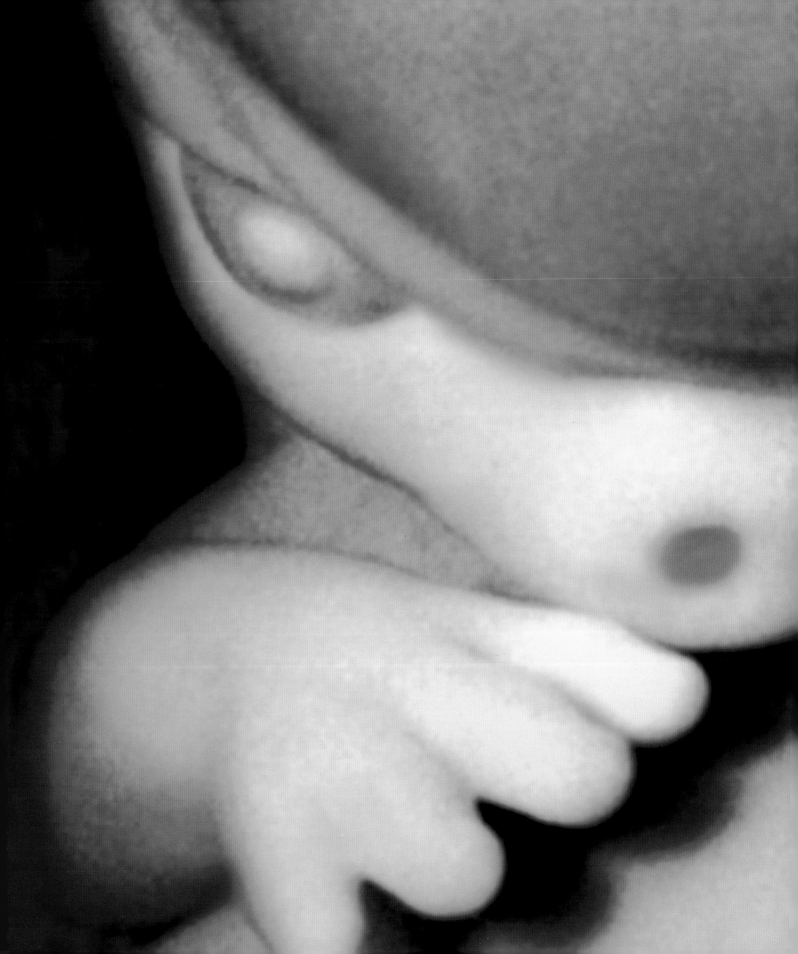

Les yeux et le nez

Les doigts sont séparés, les yeux fortement pigmentés.
Les narines sont nettement visibles.

Le crâne

Les plaques osseuses de la tête sont maintenant
en cours de formation. Les yeux sont toujours situés
sur le côté de la tête, mais se déplacent vers l'avant
à mesure que la tête grossit.

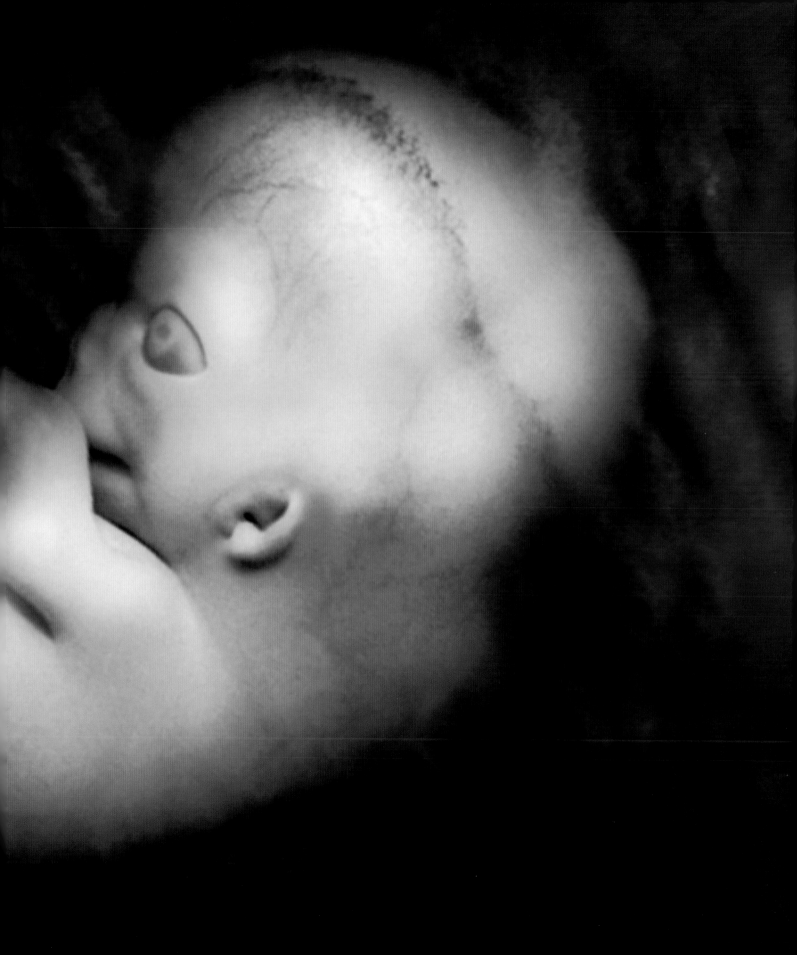

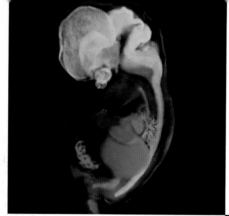

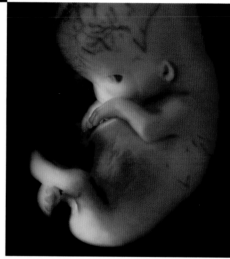

LA TRANSITION

Alors que les yeux se déplacent des côtés vers l'avant de la tête, des plaques de peau recouvrent rapidement les cornées qu'elles doivent protéger. La peau comble désormais tous les sillons de la face, donnant au bébé un aspect plus doux. Avec les pavillons des oreilles et le nez complètement formés, la face prend un caractère indubitablement humain, malgré des mâchoires encore peu développées.

La division du cœur droit et gauche, qui débute à la cinquième semaine, continue. L'architecture compliquée et évolutive de cavités, de valves, d'orifices de communication et de dérivations est en place. Pendant ce temps, les vaisseaux sanguins majeurs du corps ont gagné leur place définitive.

Avec la tête qui se redresse, les bras enroulés autour du tronc, les jambes allongées et croisées, l'embryon se présente dans la posture familière connue sous le nom de position fœtale.

54 JOURS

L'embryon à 54 jours

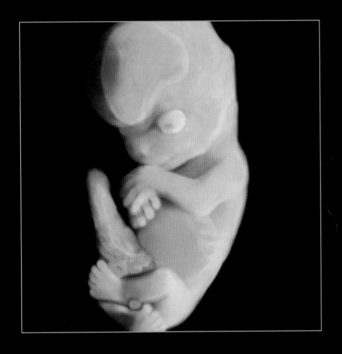

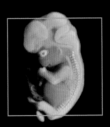

|_____|

TAILLE ACTUELLE : 26 MM

LE CERVEAU

Le cerveau et le système nerveux prennent une place
moins importante par rapport au corps du bébé. Le cerveau
embryonnaire a déjà commencé à développer les sillons
et les circonvolutions reconnaissables sur le cerveau adulte.

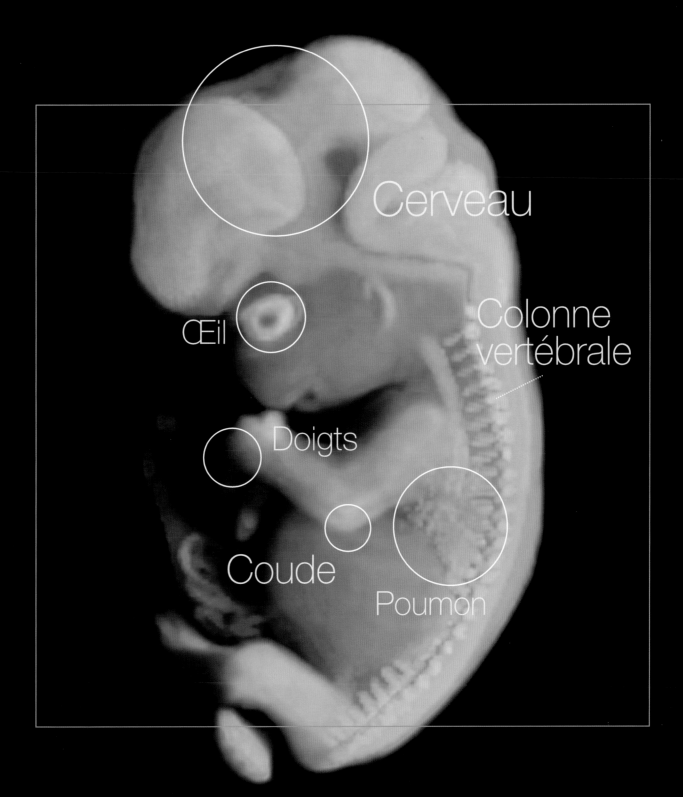

Cerveau

Œil

Colonne vertébrale

Doigts

Coude

Poumon

Les os

Le crâne, le genou, l'épaule et le coude, encore
en cartilage, prennent une apparence plus humaine.

$\left(\,54\,\right)$ JOURS

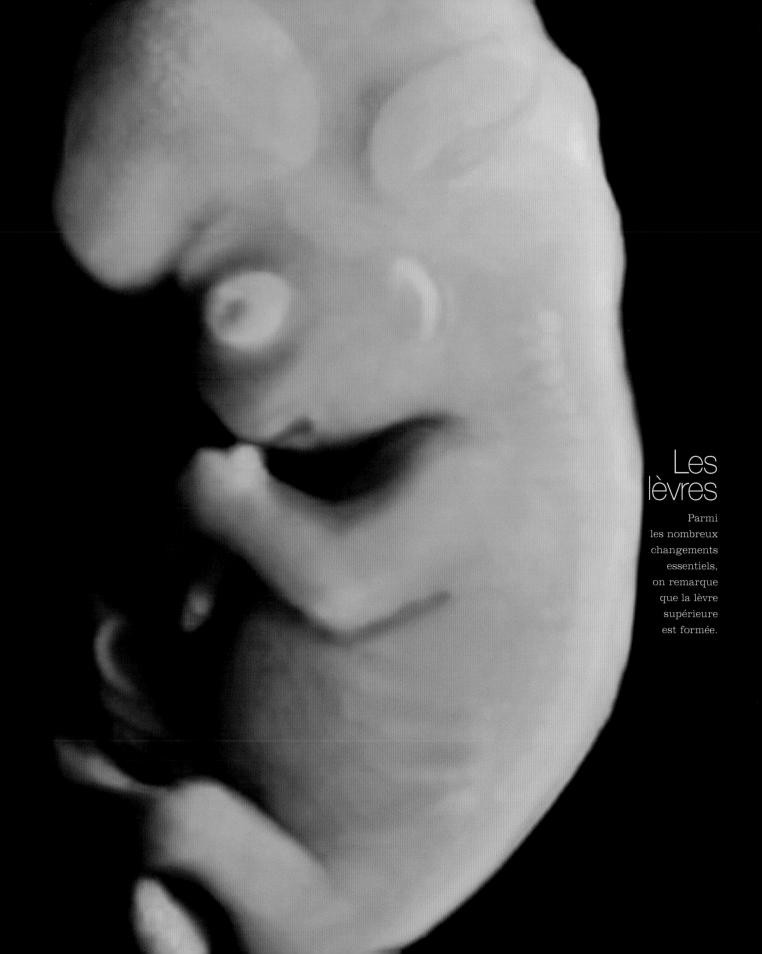

Les lèvres

Parmi les nombreux changements essentiels, on remarque que la lèvre supérieure est formée.

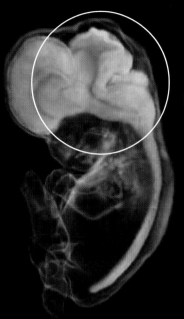

Cerveau

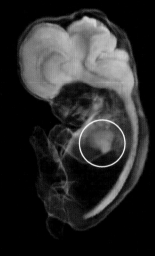

Cœur

Les organes en formation

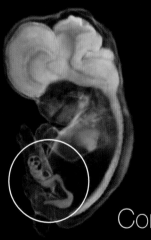

Cordon ombilical

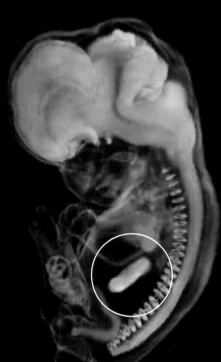

Estomac

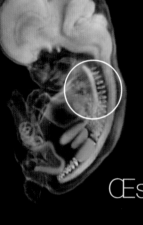

Œsophage

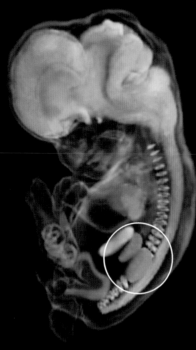

Reins

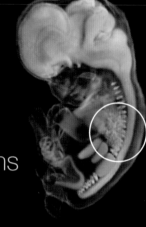

Poumons

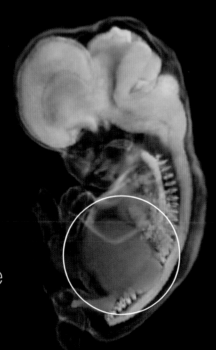

Foie

Vertèbres

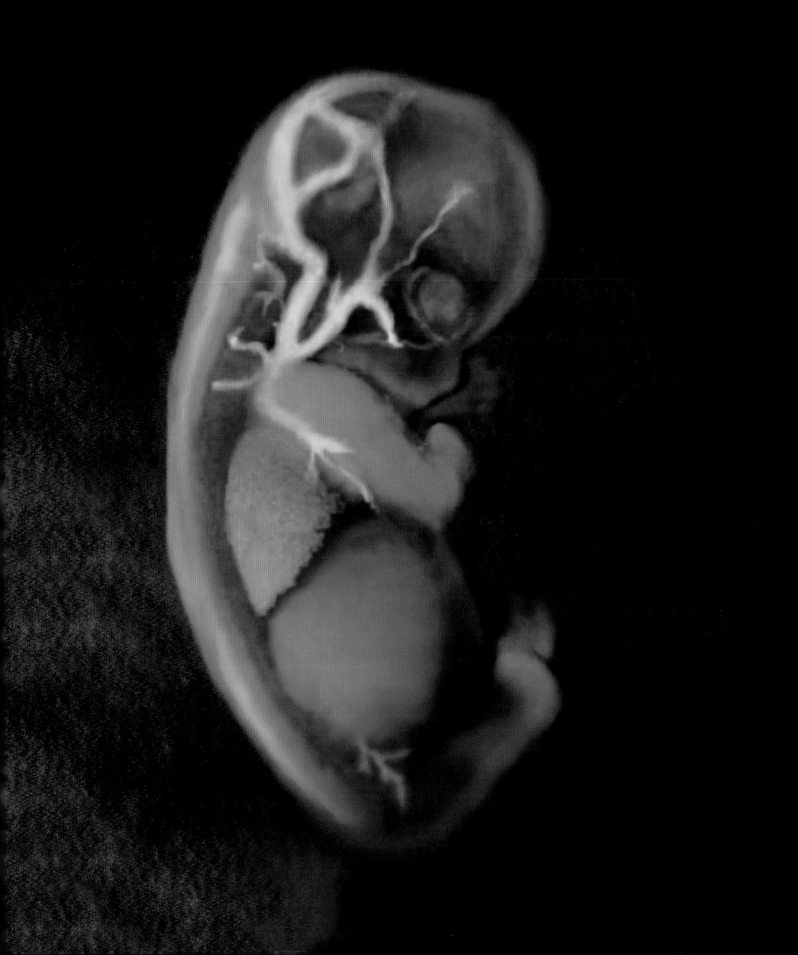

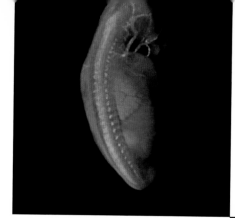

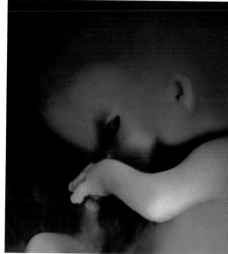

UNE PÉRIODE
CAPITALE

Tout est en place. L'embryon, presque complètement construit, mesure maintenant 30 millimètres de la tête à ce qui reste de la queue et ne pèse que quelques grammes. Tous les appareils sont structurés et mis en place : l'architecture de l'organisme est presque complète. Les papilles du goût se développent dans la bouche. Le diaphragme qui émerge sépare le cœur et les poumons du tube digestif. Bien que son rendement énergétique soit cinq fois inférieur à celui d'un adulte, le cœur est entièrement fonctionnel. Les poumons sont divisés en lobes et comportent d'innombrables tubules ramifiés.

Un grand pas a été accompli. Des myriades de structures spécifiques – cellules, tissus, organes, appareils – ont été différenciées. Elles vont désormais entamer un processus complexe d'intégration et d'interconnexion pour atteindre leur fonctionnement optimum. L'embryon devient un fœtus humain.

Ci-dessus
La tête est arrondie, les oreilles bien formées, les vertèbres entièrement articulées.

Page de gauche
À 56 jours, le poumon est bien développé.

5 6 JOURS

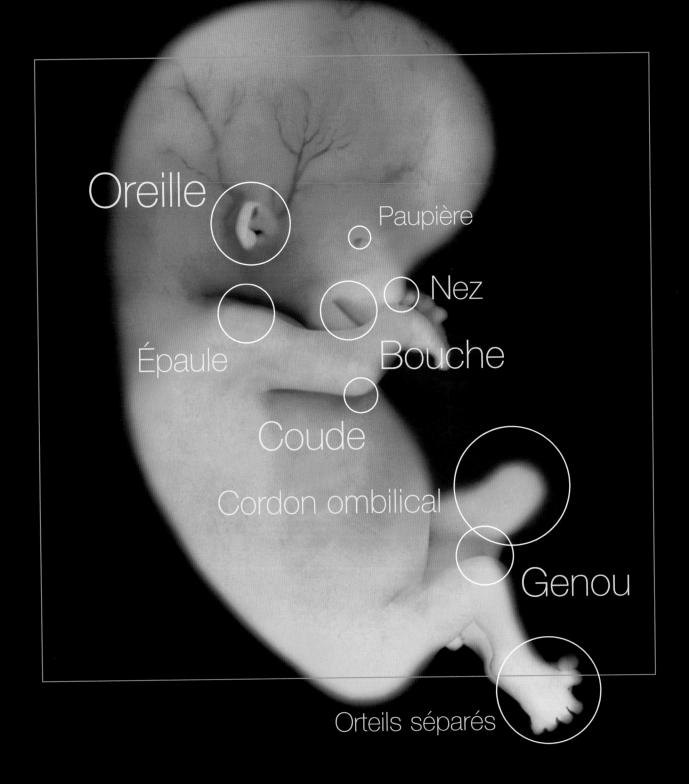

Oreille

Paupière

Nez

Épaule

Bouche

Coude

Cordon ombilical

Genou

Orteils séparés

L'embryon à 56 jours

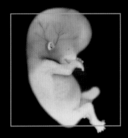

TAILLE ACTUELLE : 30 MM

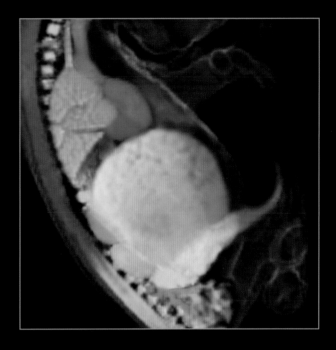

LES VISCÈRES

Tous les viscères sont en place et délimités.
Les intestins quittent le cordon ombilical
et intègrent la cavité abdominale de l'embryon.

Au chaud dans l'utérus

Le bébé dans le placenta.

56 JOURS

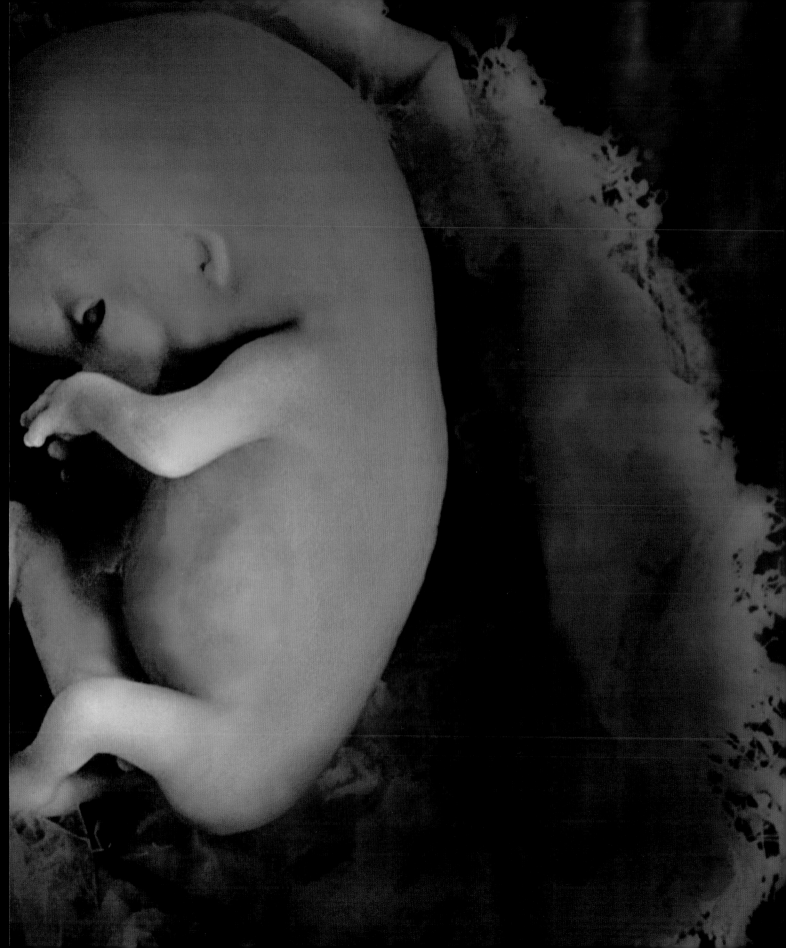

LE FOIE

Le suppléant. La nature est pleine de ressources. Elle fabrique un être vivant en combinant des structures anatomiques expressément adaptées. Elle est aussi douée pour fabriquer ce dont elle a besoin. Le foie est la glande la plus grosse et la plus complexe du corps, une usine chimique où les graisses et les protéines digérées sont transformées en centaines de substances vitales. Toutefois, comme il n'y a rien à digérer avant la naissance, le foie embryonnaire agit à court terme comme un suppléant provisoire qui fabrique les globules rouges sanguins, en attendant que la moelle osseuse devienne productive.

ADULTE

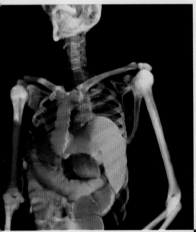

14 SEMAINES

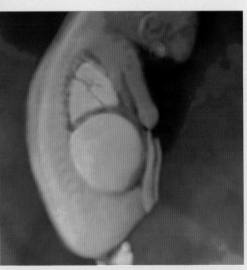

Page de droite
Le foie (en rose) assure la production des globules rouges et blancs pendant la gestation. Cette fonction décroît durant les 2 derniers mois, au profit de la moelle osseuse. Le poids du foie atteint 10 % de celui du corps à la 10ᵉ semaine et encore 5 % à la naissance.

À gauche
Observez la taille d'un foie adulte par rapport à celle d'un foie fœtal de 14 semaines.

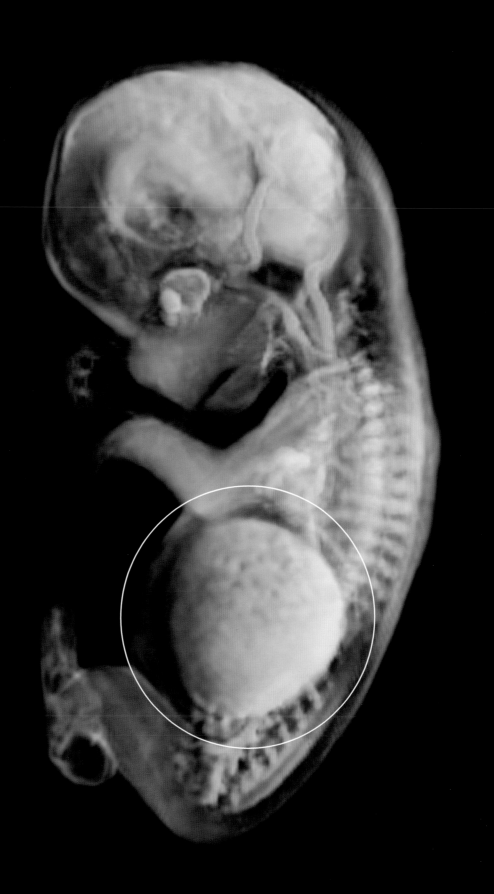

56 JOURS

56 JOURS

La colonne vertébrale

Les petits os du dos deviennent solides
et forment l'axe de l'embryon.

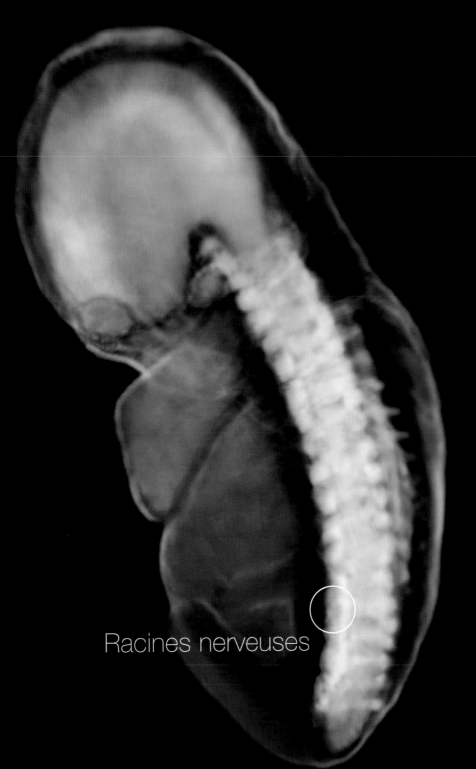

Une voie nerveuse

Les racines nerveuses émergent entre les vertèbres.

Racines nerveuses

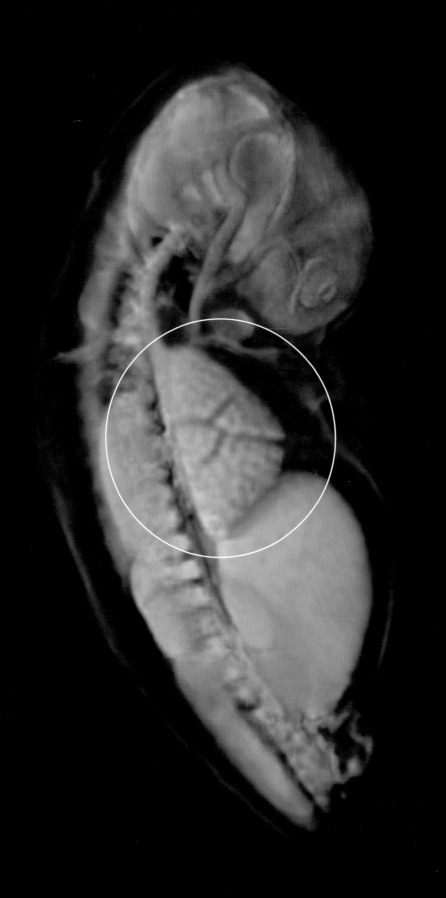

56 JOURS

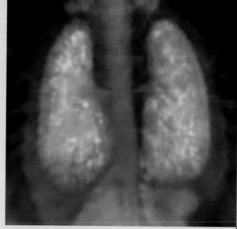

À 8 semaines, les canaux qui fourniront de l'oxygène au sang pendant le reste de notre vie sont déjà nettement formés dans les poumons.

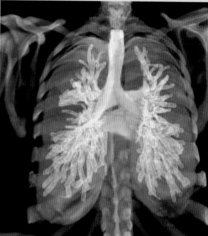

ADULTE

> CONSTRUIRE UN ENFANT | 09

LES POUMONS

L'appareil respiratoire apparaît la quatrième semaine, sous forme d'une gouttière à la base du massif facial. Il croît vers le bas, se ramifiant vingt-trois fois de chaque côté du corps pour former le poumon « bronchique » ou « glandulaire ». À quatre semaines, les bourgeons pulmonaires se développent. L'œsophage se sépare de la trachée vers le vingt-neuvième jour. À six semaines, les bronches secondaires apparaissent dans les poumons. Encore imparfaits, ils sont prêts à respirer au sixième mois. Les bronchioles se ramifieront encore après la naissance, pour s'ouvrir sur trois cents millions de petites bulles d'air : les alvéoles. Si l'on déployait ces alvéoles, leur surface (près de 145 mètres carrés) couvrirait un court de tennis.

Page de gauche
Le poumon (en jaune) d'un fœtus de 8 semaines. Les poumons droit et gauche ne sont pas identiques chez l'homme. Il s'agit ici d'un poumon droit déjà divisé en 3 lobes (le gauche n'en a que 2).

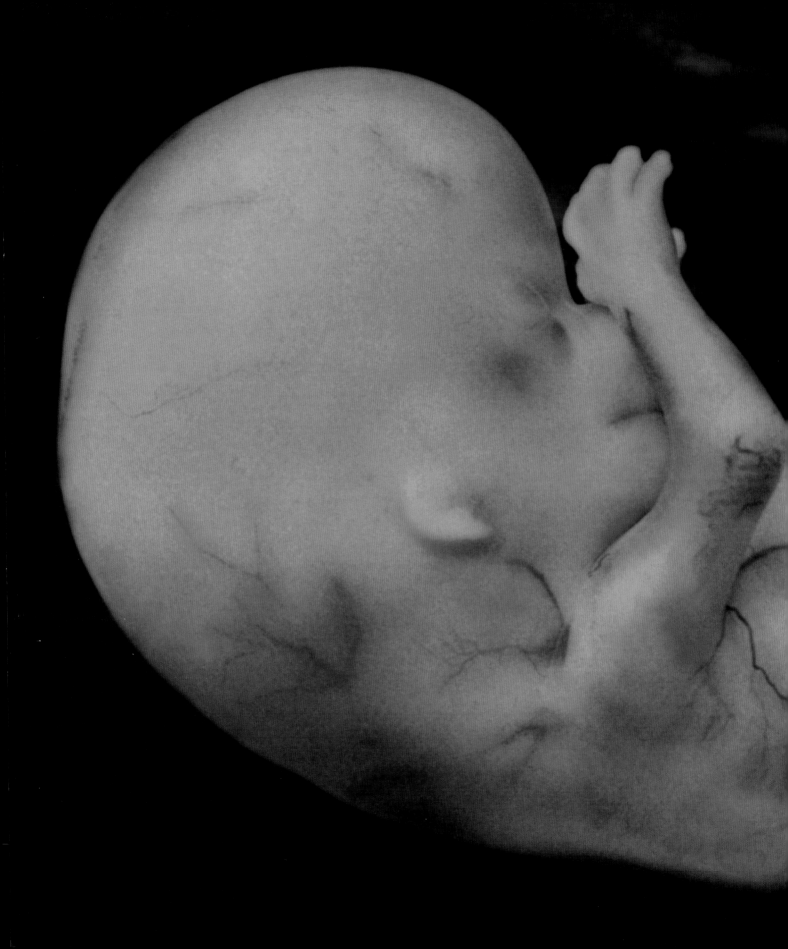

La prochaine étape du voyage

À partir de ce moment, la croissance devient plus importante que la différenciation des organes.

La croissance

PERCEVOIR LE MONDE

BOUGER

DEVENIR PLUS FORT

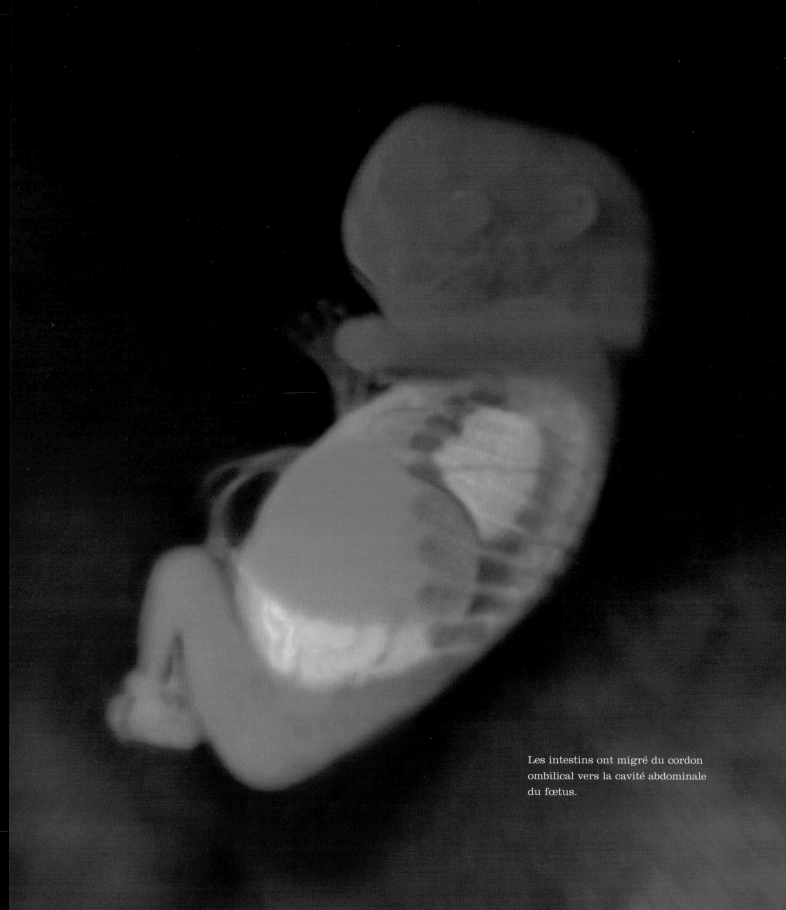

Les intestins ont migré du cordon
ombilical vers la cavité abdominale
du fœtus.

L'activité

Malgré une croissance et un développement étonnants, malgré une structure corporelle en voie d'achèvement, le fœtus n'a encore montré aucun mouvement autonome. Il s'est fabriqué des éléments différenciés – les organes, les muscles, les appareils – dotés chacun de l'aptitude à assurer une fonction spécifique. Ce qui est étonnant maintenant est de voir comment ces éléments s'assemblent, comment ils se glissent dans un moule qui anticipe dans le moindre détail le jour où le nouveau-né quittera le confort protecteur de sa mère et commencera à voler de ses propres ailes.

À partir de huit semaines, le fœtus commence progressivement à remuer comme s'il sortait d'un long sommeil paralysant. Quand le cerveau émet un signal, les muscles répondent et le fœtus commence à gigoter, à bouger ses pieds, à plier les orteils. Bien qu'il ne mesure encore que 3 centimètres de long, le coude divise le bras en deux et les doigts se plient pour fermer le poing. Les yeux sont hermétiquement clos, des mois avant le premier regard. Lorsque les chercheurs ont commencé à multiplier les photographies de fœtus à l'intérieur de l'utérus, les premiers observateurs ont noté que le bébé fronçait les sourcils, louchait, plissait le front, pinçait les lèvres et ouvrait la bouche.

Ces activités motrices n'ont pas de but défini, il n'y a aucune relation entre une stimulation et la réponse musculaire. Mais qu'un fœtus si petit commence à gigoter dépasse notre entendement : il reste à mener un fantastique travail de croissance, de préparation, de finalisation pour que même le fœtus le mieux conçu devienne un individu, capable de survivre en dehors de sa mère.

C'est pourquoi le fœtus de deux mois, structurellement presque complet, a besoin de passer sept autres mois dans le ventre maternel avant de pouvoir affronter le monde, sept mois pendant lesquels son poids sera multiplié par mille. Pendant les deux premiers mois, tous les instruments de l'orchestre ont été fabriqués. Au troisième mois, les répétitions de la longue symphonie de la vie débutent et les musiciens doivent apprendre à jouer ensemble.

La future maman, pour sa part, ne peut sentir ce qui se passe dans son utérus, mais son corps s'adapte aux besoins immédiats du fœtus tout en préparant la satisfaction des autres besoins à venir. Si elle souffre de nausées matinales, elle peut s'attendre à ce qu'elles durent encore au moins un mois, car les hormones de la grossesse stimulent encore des changements corporels importants. Par exemple, son volume sanguin augmente en prévision des besoins du fœtus en nutriments et en oxygène, son corps stocke une réserve de sang pour compenser les pertes prévisibles au moment de la délivrance. Son cœur bat plus fort et plus vite pour propulser cette masse accrue de globules rouges à travers le placenta. Elle a pris un peu de poids sous l'influence des hormones circulantes, mais ce n'est rien en comparaison des 12 à 15 kilos qu'elle prendra normalement pendant les sept mois à venir, avant que son bébé et elle se séparent.

Quant au futur papa, c'est le moment pour lui de s'impliquer un peu et de soutenir la maman dans le déroulement de la grossesse.

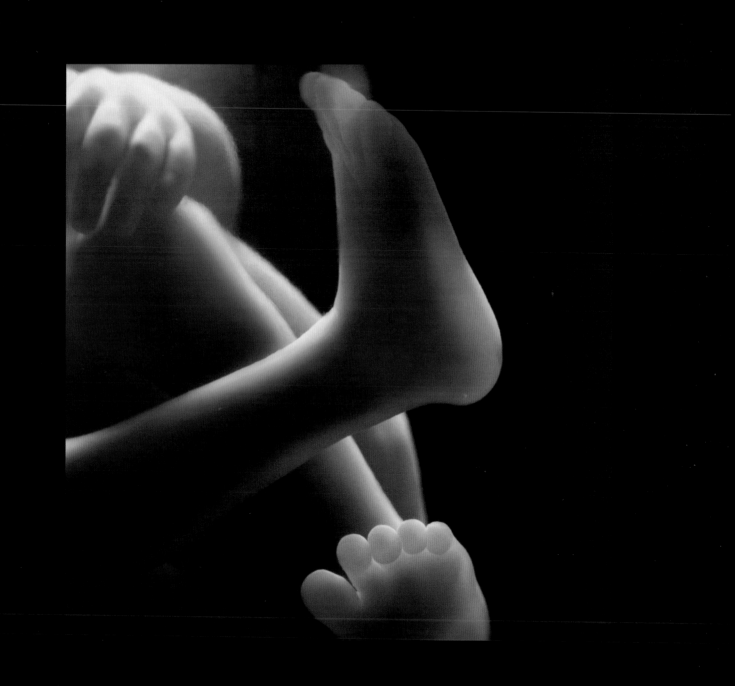

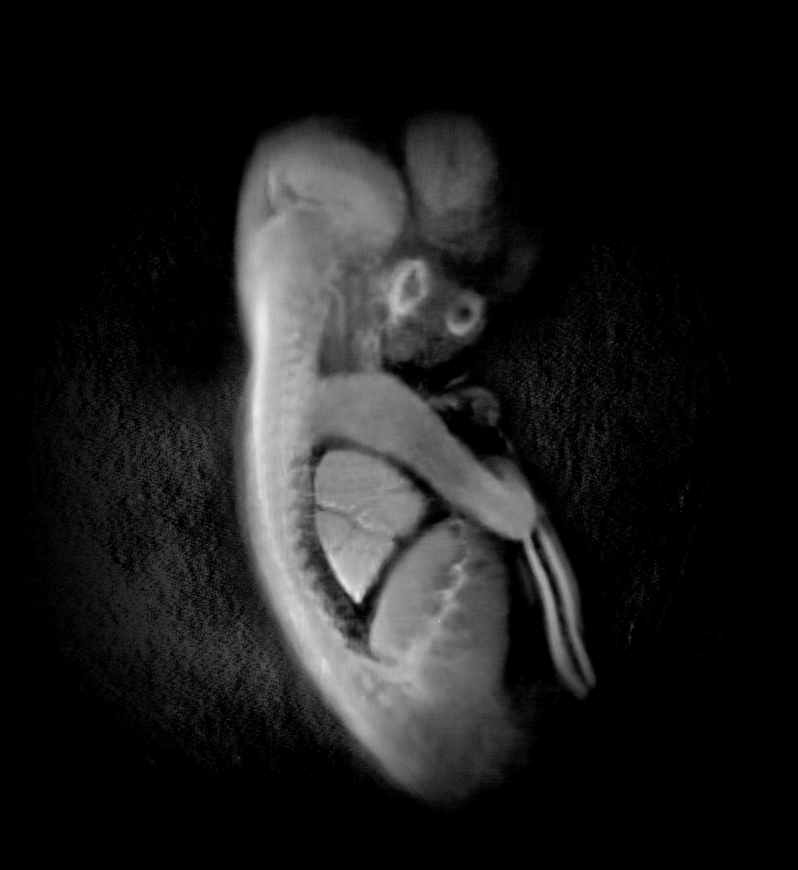

LA PREMIÈRE PULSATION

Les stimulations. Le changement le plus notable à deux mois concerne la stature devenue sensiblement plus humaine au cours de la semaine passée : la tête est plus relevée, le dos plus droit, l'abdomen plus rentré. Les muscles et le squelette se forment intensément. À mesure que le corps se redresse, les intestins – qui avaient initialement grossi trop vite pour être contenus dans l'abdomen et saillaient à l'extérieur – commencent à regagner la cavité abdominale à partir de la zone voisine du cordon ombilical. Il devient possible d'entendre battre le cœur du fœtus à l'aide d'un stéthoscope.

Alors que le fœtus mesure 3,5 centimètres de la tête à la croupe et pèse 4 à 5 grammes, les ongles des doigts et des orteils commencent à pousser. La peau s'épaissit un peu, acquiert plusieurs couches, perd de sa transparence ; les follicules pileux apparaissent sous la surface. Dans le tube neural où se forme la moelle épinière, les cellules nerveuses s'allongent et se connectent entre elles. Le fœtus masculin est identifiable à une ébauche de pénis externe, alors que le fœtus féminin n'a encore aucun signe distinctif.

Comme le système nerveux et les muscles continuent à se relier, le fœtus commence à répondre plus spécifiquement aux stimulations. Désormais, les paupières et les paumes des mains se ferment quand elles sont stimulées.

Une tête volumineuse et plus ronde, un cou distinct et une implantation basse des oreilles sont les caractéristiques du fœtus entre 9 et 12 semaines.

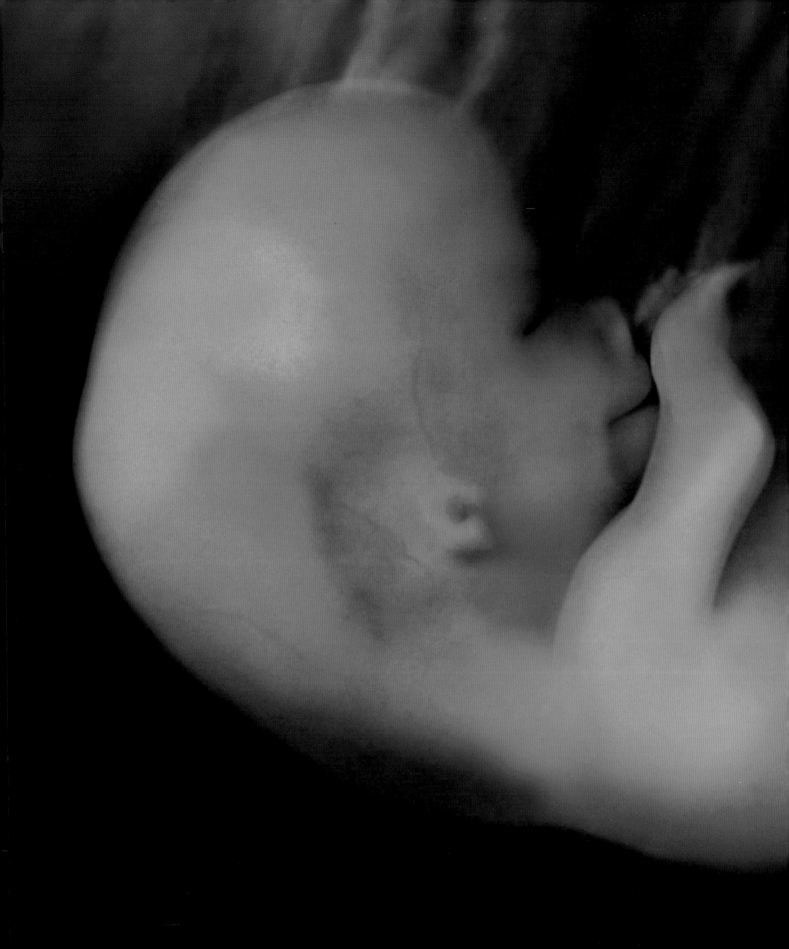

Protéger le cœur et les yeux

La cage thoracique est fermée
et les paupières sont closes à partir de 9 semaines.

LES DENTS ET AUTRES MERVEILLES

Les proportions évoluent. Plusieurs nouveaux organes ont atteint une maturité suffisante pour assumer leur rôle définitif, c'est-à-dire être fonctionnels. Chef d'orchestre de toute la complexe chimie du corps, la glande thyroïde a déclenché ses sécrétions, comme le pancréas qui fabrique des enzymes digestives. Même s'il n'y a encore rien à digérer, la vésicule biliaire commence à excréter de la bile dans le tube digestif où différents muscles lisses se constituent en prévision du jour où le nouveau-né devra digérer lui-même ses aliments. La ramification des bronches est presque terminée. Coiffant le cœur, le thymus, siège du système immunitaire, est envahi par les cellules lymphocytes T qui deviendront finalement les principales sentinelles du corps.

Alors que les os se forment en de nombreux endroits, même dans les doigts et les orteils, les cellules de leur moelle commencent à produire les cellules sanguines, qui étaient d'abord fabriquées dans le sac vitellin à l'extérieur du corps, puis par le foie et la rate à l'intérieur. Le nombre de connexions entre les muscles et les nerfs a triplé depuis une semaine. D'apparence plus humaine, avec les yeux portés en avant de la tête et les oreilles implantées plus haut, la face est sensible au toucher, de même que d'autres régions du corps. Les premiers bourgeons dentaires se forment.

Le fœtus, qui a beaucoup grandi, mesure près de 5 centimètres de la tête à la croupe et pèse 7 à 8 grammes. Maintenant que les régions inférieures du corps croissent plus vite que la tête et que les intestins ont regagné la cavité abdominale, les proportions se rapprochent de celles d'un enfant.

Page de droite
Pendant le troisième mois,
le fœtus double de longueur
et les intestins regagnent
la cavité abdominale.

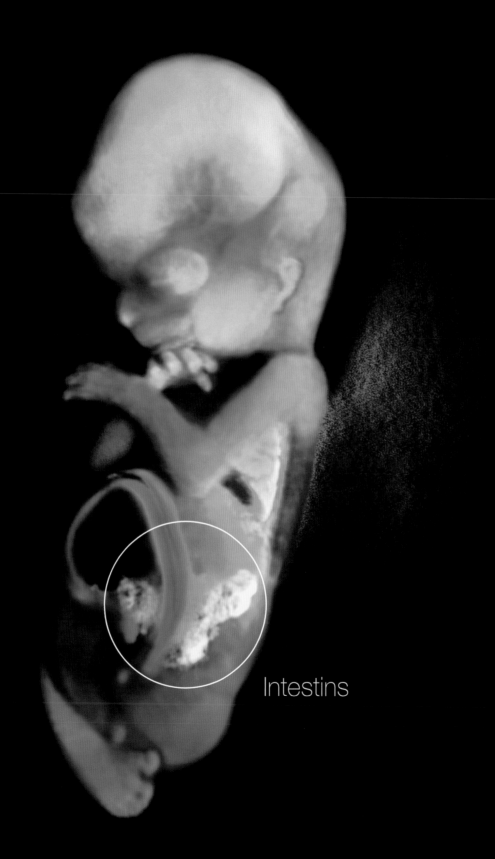

Intestins

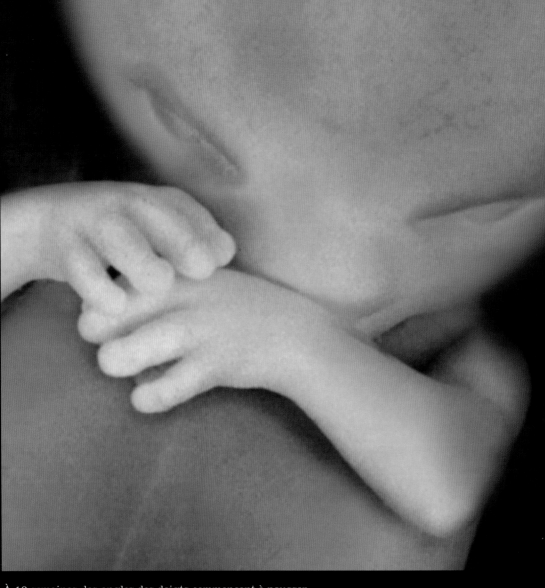

À 10 semaines, les ongles des doigts commencent à pousser.

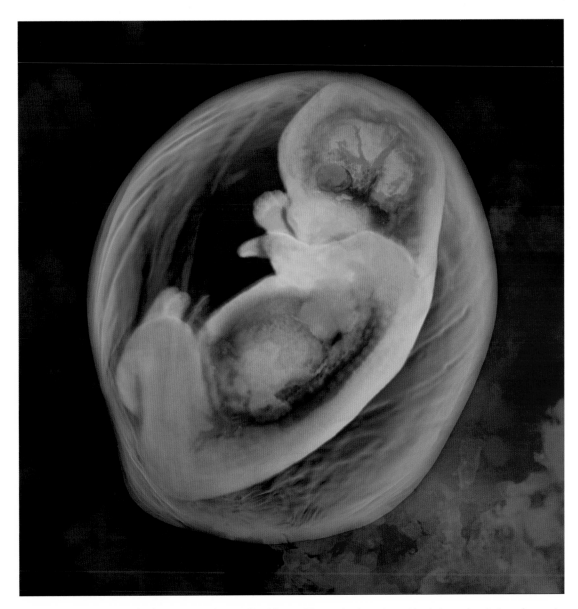

Le foie commence à sécréter de la bile, un liquide vert-brun épais qui contient des sels et des pigments biliaires, du cholestérol et des sels minéraux. La bile est stockée dans la vésicule biliaire. La thyroïde, le pancréas et la vésicule sont complètement formés. Le pancréas lance la production d'insuline. À 11 semaines, le poids du liquide amniotique est d'environ 70 grammes.

11 SEMAINES

L'INDÉPENDANCE

La préparation. Le développement fœtal peut être considéré comme une course pour construire et affiner, avant la naissance, des appareils capables de faire vivre le bébé en dehors du ventre maternel. Le but poursuivi est l'indépendance. Les fonctions qui étaient assumées par la mère ou exercées à travers le placenta sont déjà en voie d'installation.

La trachée, les poumons, l'estomac, le foie, le pancréas et les intestins évoluent activement vers leur forme et leur fonction finales. Bien que la circulation sanguine maternelle reste encore le principal instrument de transport des nutriments, d'évacuation des déchets et de protection contre l'infection, l'apport de sang fœtal commence à l'aider. Les îlots glandulaires du pancréas sécrètent leur première insuline pour métaboliser le sucre et l'amidon. La muqueuse de l'intestin se plisse en villosités minuscules, ce qui augmente la surface disponible pour l'absorption des nutriments par le sang. Chez l'adulte, chaque villosité sera bordée par trois mille cellules, l'intestin atteindra 7 à 8 mètres, et plus de vingt millions de glandes sécréteront assez d'enzymes digestives pour digérer tout un repas de réveillon.

Des transformations identiques se préparent dans la bouche. Les maxillaires ont commencé à durcir, à s'ossifier comme les autres structures osseuses et sont parsemés de germes dentaires, minuscules bourgeons qui deviendront les dents de lait. Pour que les dents et les os du bébé soient bien formés, les femmes enceintes doivent augmenter leur consommation de calcium dès cette période et pour toute la durée de la grossesse. Les cordes vocales commencent à se former dans le larynx, même si le fœtus devra attendre au moins six mois avant de connaître le flux d'air qui leur permettra de vibrer et d'émettre un son. Le fœtus mesure maintenant 6 centimètres et pèse 10 à 12 grammes.

Page de droite
La peau est très sensible,
les réflexes fonctionnent,
la tête représente encore le tiers
de la longueur du fœtus.

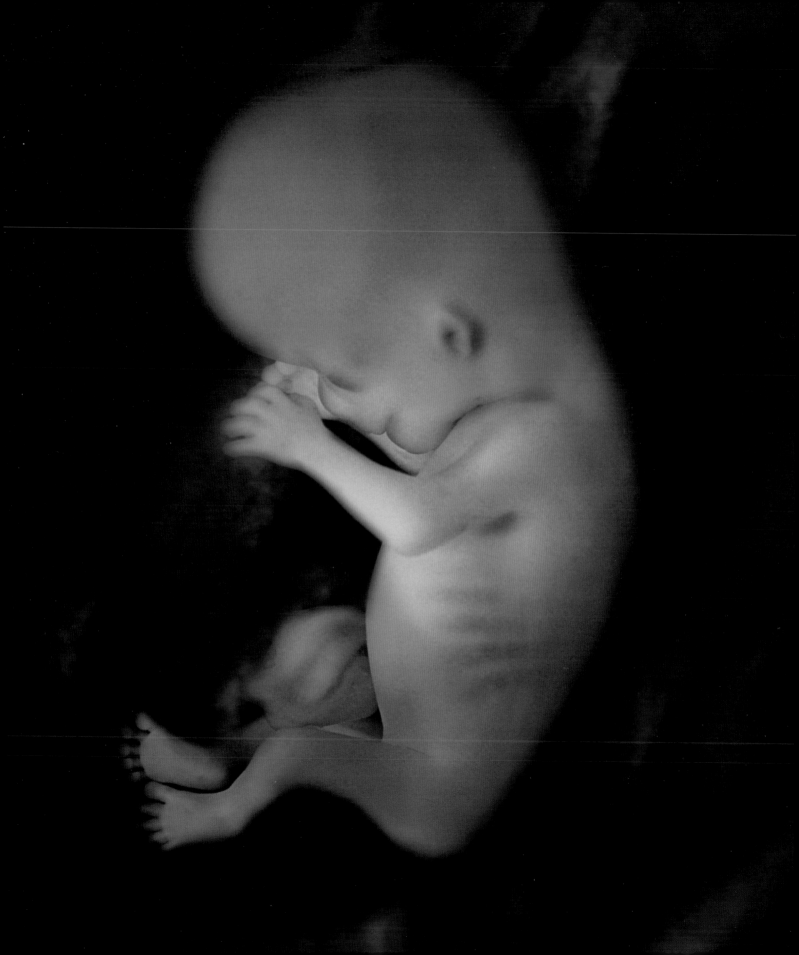

Plus gros
de jour en jour

Au cours de la 12ᵉ semaine, le poids
du fœtus augmente de 3 grammes, en moyenne.

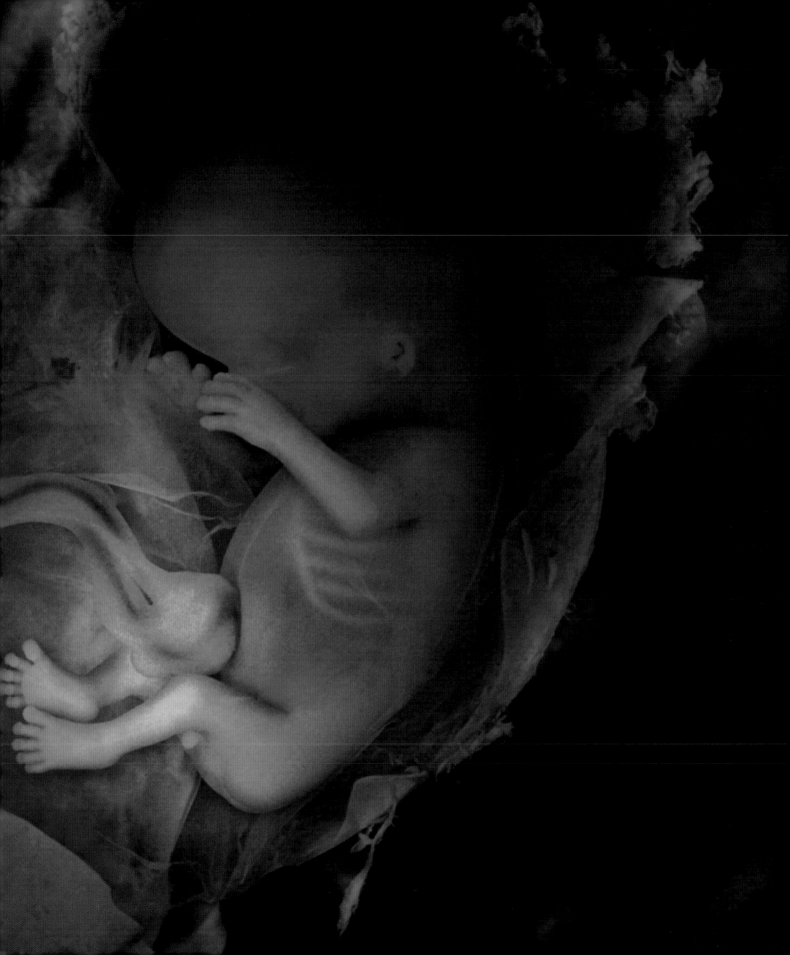

12 SEMAINES

L'INDIVIDUALITÉ

Une personnalité. À la fin du premier trimestre, le fœtus a développé tous ses appareils essentiels. Aucun nouvel organe ne reste à former, et ceux qui existent déjà passeront six mois supplémentaires à atteindre le stade nécessaire à la survie du nouveauné. Le fœtus est presque complet dans ses structures et actif dans ses fonctions, mais il est encore loin d'être capable de vivre par ses propres moyens.

Comme les autres primates, il possède maintenant un pouce opposable, un progrès considérable parce qu'il nous autorise à pincer les objets, tenir un crayon ou un pinceau, manipuler un cadran sur le tableau de bord d'un vaisseau spatial. Les mouvements du fœtus sont plus orientés, anticipant les futures activités vitales comme la respiration ou l'alimentation. Les yeux se sont rapprochés de chaque côté du nez, dont l'arête s'est développée.

L'émergence d'une individualité rudimentaire est peut-être encore plus remarquable. Le fœtus n'est pas encore conscient, mais ce qui en fait un être unique semble s'affirmer. Les embryologistes ont noté que « à trois mois, les fœtus du même âge commencent à montrer des variations individuelles, fondées selon toute probabilité sur les modèles comportementaux hérités des parents ». Des fœtus différents ont des expressions faciales différentes.

Les muscles de la succion emplissent
les joues, les bourgeons dentaires
continuent à se développer
et les glandes salivaires
commencent à fonctionner.

L'esprit

Les structures du cerveau
sont complètes ; sa masse
augmente beaucoup
à partir de cette période.

Le cœur

Le cœur a atteint sa forme générale
adulte, parfaitement achevé
ses structures, et le sang circule.

La force

À 14 semaines, les yeux
et les oreilles sont placés plus en avant,
le cou est plus droit et plus puissant.
La tête commence à tourner.

Le mouvement

Le fœtus commence à bouger
dans son liquide amniotique,
bien que la mère ne sente pas
encore ses mouvements.

13 SEMAINES

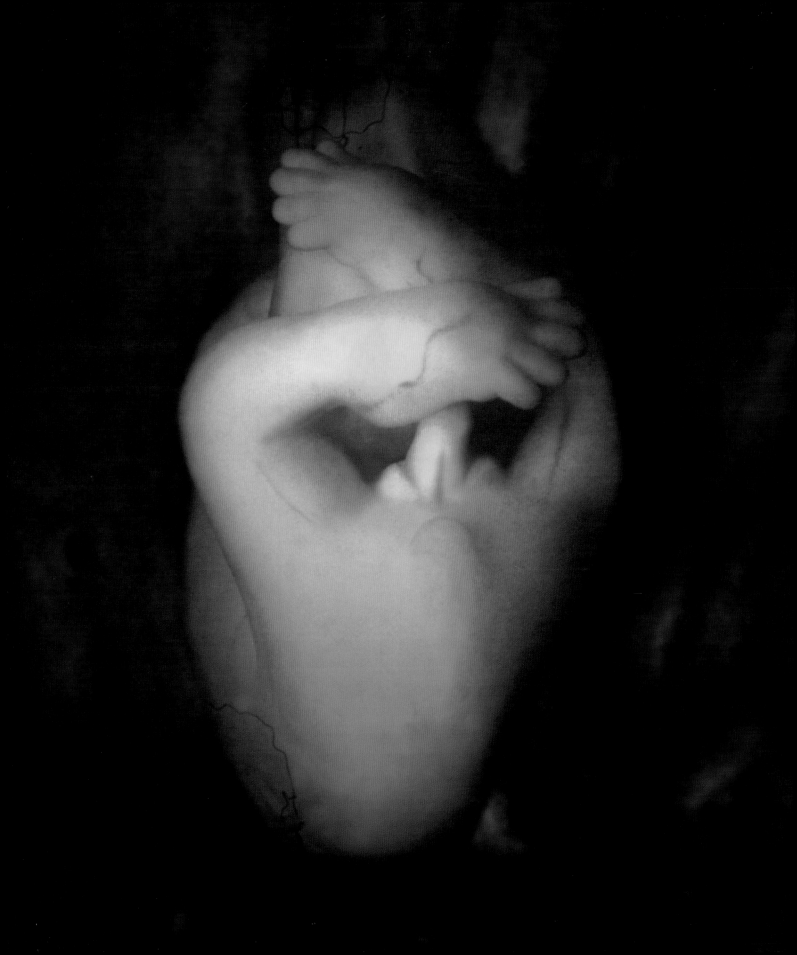

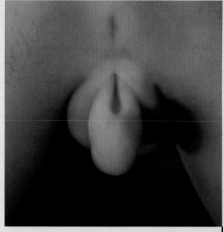

Ci--dessus
Un garçon naîtra si le sillon
urétéral (la fente située au milieu)
se referme.

UN PÉNIS INDIFFÉRENCIÉ

En biologie, cette expression ne signifie pas l'ambiguïté sexuelle ou l'unisexualité, mais une identité sexuelle non encore affirmée. Cinq semaines après la fécondation, les ébauches d'organes sexuels situées dans l'abdomen sont identiques chez la fille et le garçon. Le sexe, déterminé dès la conception, n'est pas encore identifiable au microscope. Chez le garçon, les futurs testicules se modifient dès la septième semaine et descendent vers les bourses au sixième mois. Chez la fille, les futurs ovaires évoluent vers la onzième semaine et descendent plus tard vers les fosses iliaques. Les organes génitaux externes, identiques jusqu'à neuf semaines, forment une élévation conique – dotée de la fente uro-génitale – qui deviendra soit le pénis, soit le clitoris, selon son évolution.

Ci-dessus
Ce sera une fille si le sillon
reste ouvert.

Page de gauche
Les organes génitaux
du fœtus se développent
à partir de la 4ᵉ semaine
et deviennent externes
à la 8ᵉ semaine.

3 MOIS

Garçon ou fille ?

Bien que le tubercule génital soit visible, il est impossible
de distinguer le garçon de la fille avant la 12ᵉ semaine.

PRÉPARER L'AVENIR

Des muscles, des os, un cerveau, des gonades. Le début du deuxième trimestre marque un changement de priorité pour le fœtus, qui passe d'un développement rapide des organes à une croissance rapide. Pendant le quatrième mois, le fœtus double de taille, en passant de 8 à 15 centimètres de la tête à la croupe (les jambes sont toujours repliées), pendant que son poids quadruple en passant de 30 à 130 grammes. Comme lorsque le blastocyste s'est implanté dans la paroi utérine maternelle pour se gorger de sang, lançant le processus de développement embryonnaire, la poussée soudaine de croissance crée des besoins urgents spécifiques.

Il est ainsi nécessaire de modifier la posture. Jusqu'à présent, le fœtus était resté incurvé, sa tête surdimensionnée tombant sur la poitrine. Laissant présager la vie en position debout, le corps commence brusquement à s'étendre, tandis que la proportion tête/corps diminue. Pour tenir le cou droit, les muscles du cou et du dos se renforcent, pendant que les vertèbres, la cage thoracique et les épaules se solidarisent et durcissent. Les jambes s'allongent rapidement, à l'inverse du torse et des bras.

Bien que la tête devienne relativement moins importante, son rôle prééminent augmente. La surface du cerveau antérieur – les futurs hémisphères, siège des fonctions intellectuelles, du contrôle moteur, des perceptions et de la mémoire – se couvre de plis ou circonvolutions qui augmentent la surface disponible. Les régions sous-jacentes du cerveau – qui contrôlent les émotions, l'appétit, le comportement sexuel, l'équilibre, le sommeil et d'autres fonctions de base – apparaissent mais restent peu développées.

Pendant ce temps, le corps se prépare non seulement à vivre par ses propres moyens, mais aussi à assurer sa propre descendance. Chez la fille, les organes sexuels accessoires – les trompes de Fallope – sont façonnés à partir des restes laissés par la dégénérescence des reins primitifs. L'utérus et le vagin se soudent, bien que ce dernier soit englobé dans une masse cellulaire provisoire.

La peau est mince, lâche et plissée, des sillons et des spirales distinctifs apparaissent déjà au bout des doigts et des orteils. Aucun individu ne partagera exactement les mêmes empreintes avec un autre, même un jumeau homozygote.

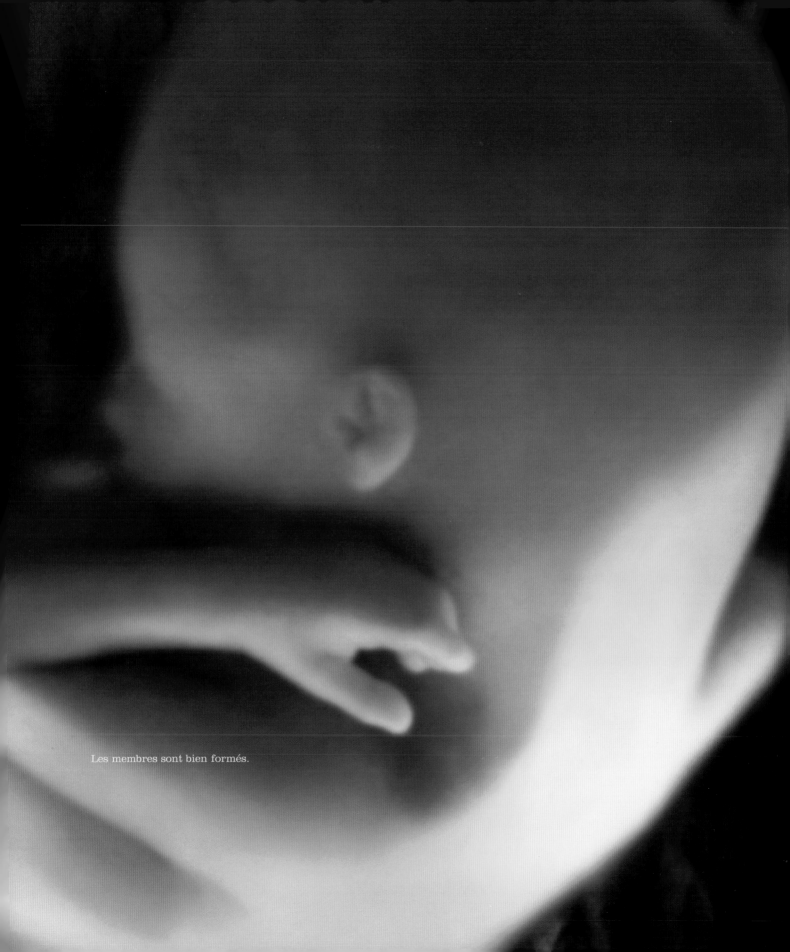

Les membres sont bien formés.

De longues jambes

À 16 semaines, les membres supérieurs et inférieurs sont magnifiquement allongés.

4 MOIS

LES PREMIERS
COUPS DE PIED

Bébé signale sa présence. Les mouvements fœtaux – coups de pied, retournements, hoquets – sont maintenant assez prononcés pour être ressentis par la femme enceinte, capable d'identifier un coude ou une tête donnant un coup dans la paroi abdominale. Avec une taille de 20 centimètres et un poids d'environ 250 grammes, le fœtus a atteint les dimensions d'un écureuil. Malgré la finition avancée de la plupart des organes, il ne peut encore vivre de manière indépendante, car diverses fonctions importantes, comme l'apparition de glandes sudorales pour réguler la température corporelle, restent à développer.

La plupart des os ont durci. Une fine rangée de cils apparaît. Chez les deux sexes, des mamelons rose pâle se développent au sommet des glandes mammaires, maintenant équipées de canaux lactifères. On peut penser que la capacité à produire du lait sera éliminée chez les garçons, mais la nature reste prudente pendant la gestation, avant de faire un tri farouche dans ce qui sera finalement utile ou non à l'enfant. Par exemple, plus de papilles gustatives ont été produites qu'il n'en sera nécessaire à la naissance, et le fœtus possède déjà une préhension ferme. Les scientifiques pensent qu'il pourrait s'agir de restes de l'évolution, de souvenirs du développement de nos ancêtres préhumains qui avaient besoin très tôt de nombreux bourgeons gustatifs sur le palais et les parois de la bouche, voire dans la gorge, pour détecter les poisons dans les végétaux consommés, ou d'une préhension très puissante pour s'accrocher à la fourrure de la mère qui voyageait au sommet des arbres de la forêt.

Comme le cœur du bébé bat assez fort pour propulser chaque jour 144 litres de sang à travers son corps, on peut l'entendre à travers le ventre maternel.

Page de gauche
Les empreintes digitales propres à chaque individu commencent à se former au bout des doigts et des orteils.

Le cordon ombilical

La circulation sanguine fonctionne parfaitement.
Le cordon ombilical continue de grandir
et de grossir, à mesure que le sang y passe
avec une pression considérable pour nourrir le fœtus.

5 MOIS

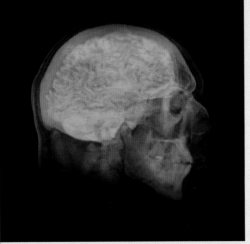

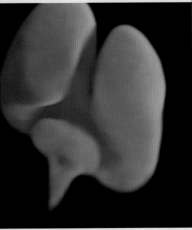

Comparez les circonvolutions
du cerveau adulte (en haut,
à droite) avec la surface lisse
du cerveau fœtal (ci-dessus).

Page de droite
Vues de dessous et de profil
d'un cerveau de fœtus
de 20 semaines. Bien que sa forme
soit assez proche de la forme finale,
il est encore lisse et peu spécialisé.
Son développement demandera
des années après la naissance.

LE CERVEAU

Vers la septième semaine, les cellules nerveuses du cerveau ont commencé à se connecter en émettant des molécules protéiques. Certaines forment les premiers circuits primitifs.
La vitesse de production des neurones est étourdissante : plus de cent mille nouvelles
cellules par minute. À la naissance, le cerveau se composera de cent milliards de neurones étroitement entrelacés. À la fin du cinquième mois, presque tous les neurones sont
en place et entament une phase de croissance et de différenciation. Les cellules mesurent
un centième de millimètre et sont interconnectées par des prolongements étoilés par
lesquels elles envoient, relayent ou reçoivent des signaux. Cette capacité de connexion
explique les exceptionnelles facultés humaines. Il a été calculé que les deux milliards de
neurones qui permettent de s'instruire sont situés dans la couche externe du cerveau,
le cortex, et que ces deux milliards tiendraient dans un dé à coudre.

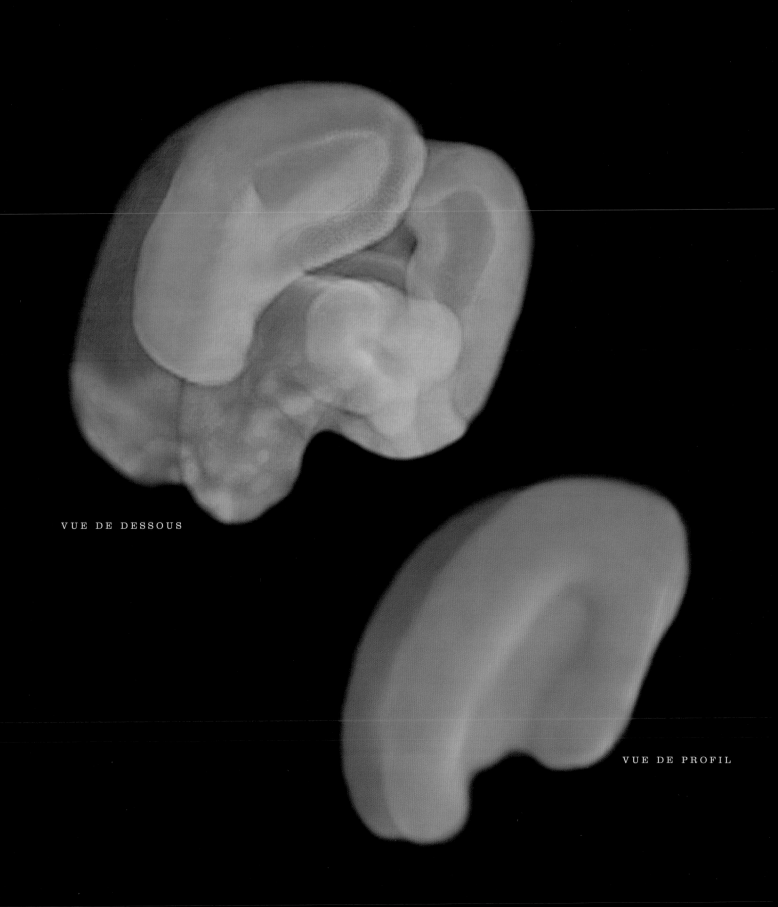

VUE DE DESSOUS

VUE DE PROFIL

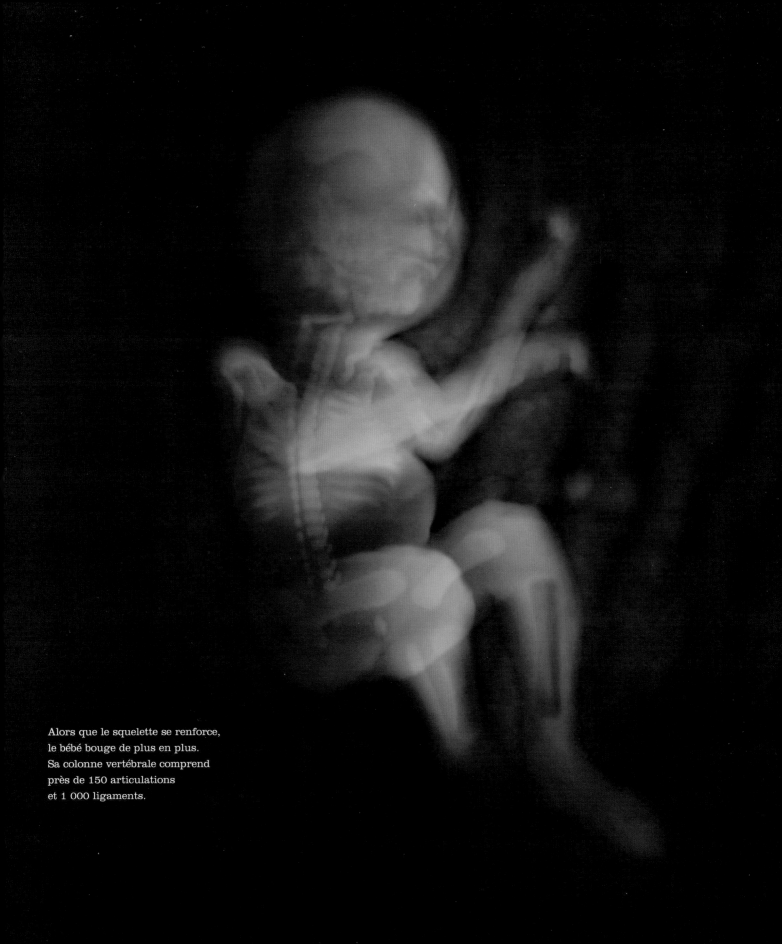

Alors que le squelette se renforce,
le bébé bouge de plus en plus.
Sa colonne vertébrale comprend
près de 150 articulations
et 1 000 ligaments.

AGIR COMME UN BÉBÉ

Dormir et sucer son pouce. Alors que le deuxième trimestre tire à sa fin, le fœtus se tient bien droit, et même plus droit qu'à la naissance. Ceci permet à ses viscères en pleine croissance, notamment le foie et le cœur, de grandir et de prendre leurs places finales, un peu plus bas dans la cavité du tronc. Une partie des intestins est complètement refoulée dans la région du bassin.

Pendant que les proportions corporelles se rapprochent de plus en plus de leur état final, les nombreux os qui formeront le squelette adulte continuent à s'ossifier et à s'articuler entre eux. À la naissance, le nouveau-né dispose de trois cents os, mais nombre d'entre eux fusionnent, ce qui ramène le total à deux cent six os chez l'adulte. La colonne vertébrale humaine est constituée de trente-trois anneaux, cent cinquante articulations et mille ligaments destinés à soutenir le poids du corps. Ils ont tous commencé à se former avant le sixième mois de gestation.

Avec sa couche profonde presque dénuée de graisse, la peau fripée semble mal ajustée, plus fragile qu'elle ne devra l'être chez le nouveau-né. Elle est couverte d'une sécrétion caséeuse qui l'aide à garder sa souplesse dans le liquide amniotique très minéralisé et la protège des abrasions, à une période où le fœtus se retourne et bouge activement. À partir de ce moment, celui-ci alterne veille et sommeil, se nichant dans sa position favorite pour dormir et s'étirant au réveil.

Le développement des yeux a débuté à peine trois semaines après la fécondation, sous forme de deux bourgeons dans le tissu neural le plus primitif. Ils ont maintenant une structure complète. Les paupières se ferment et s'ouvrent, les yeux commencent à percevoir l'alternance d'ombre et de lumière. Les narines sont également ouvertes et les premiers mouvements des muscles respiratoires du bébé sont perceptibles.

Les besoins en protéines sont sensiblement accrus, avec la croissance rapide et les mouvements actifs du fœtus, qui atteint 30 centimètres de longueur entre la tête et la croupe et pèse plus de 600 grammes. Sa mère va désormais prendre environ 2 kilos par mois.

24 SEMAINES

Un esprit actif

La croissance très rapide du cerveau,
qui dure encore 5 ans après la naissance, commence.
Les grandes lignes ressemblent à celles
du cerveau adulte, mais la surface est encore lisse.

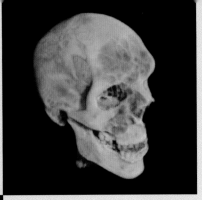

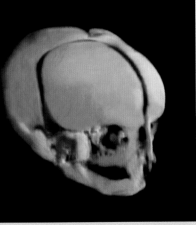

Ci-dessus
Des pièces soudées forment
le crâne humain. Entre ces pièces,
de fines membranes (les fontanelles)
recouvrent le cerveau.
Elles disparaissent vers la fin
de la 2ᵉ année, mais le crâne
continue à croître jusqu'à l'âge
adulte.

Page de droite
Un fœtus de 14 semaines.
Le squelette se construit
à partir du tissu conjonctif
embryonnaire. L'ossification
débute après la 8ᵉ semaine.

LE SQUELETTE

Assembler le puzzle. À six mois, les os sont complètement en place, mais ne sont pas encore reliés par les articulations. Comme l'armature d'une poupée en mousse, le squelette soutient l'ensemble du fœtus et lui permet de bouger. Mais comme cette armature, il n'a aucune capacité mécanique : ses membres ne peuvent ni se fléchir, ni s'étendre volontairement. Votre enfant aura besoin d'une année de plus pour que les mécanismes d'emboîtement, de charnière ou de glissement des hanches, des genoux et des chevilles soient assez résistants et flexibles pour permettre le trottinement. Chez l'adulte, le squelette est une élégante charpente mobile, assez manœuvrable et contrôlable pour que, théoriquement, le même individu puisse faire une pirouette, soulever un sac de ciment, courir un 100 mètres-haies et pratiquer la chirurgie.

Le crâne est un casque construit par modules à partir de quatre plaques en partie calcifiées. Dans l'utérus, les plaques non soudées sont reliées de manière lâche. Ceci permet à la tête de se déformer pendant l'accouchement. Les parents sont depuis longtemps préparés à ne pas s'alarmer si le crâne du bébé semble trop allongé ou quand ils découvrent la fontanelle au sommet du crâne. Le cerveau du bébé triple de volume pendant la première année, et l'assemblage flexible du crâne le protège et lui permet de grandir tout à la fois. Les os crâniens s'imbriquent et se soudent définitivement autour de dix-huit mois. Toutefois, les maxillaires continuent à pousser en avant jusqu'à l'adolescence, où les parents s'aperçoivent que leur bambin a subitement l'air d'un adulte.

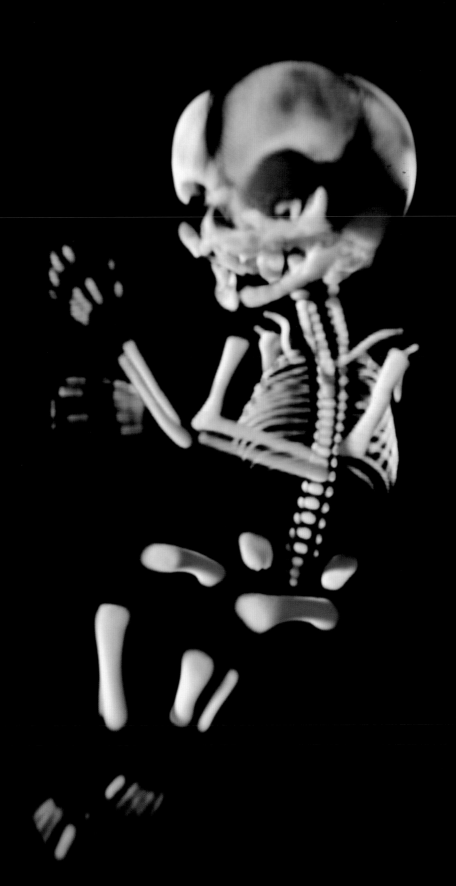

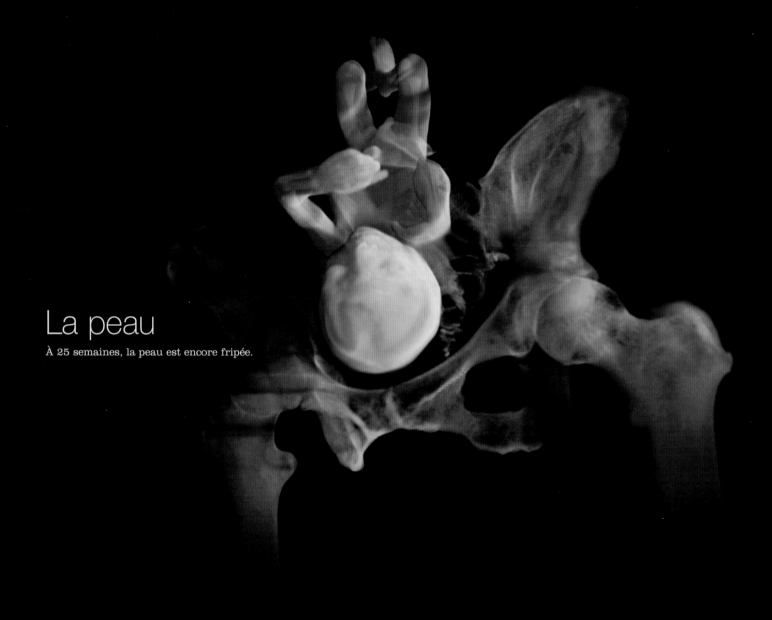

La peau

À 25 semaines, la peau est encore fripée.

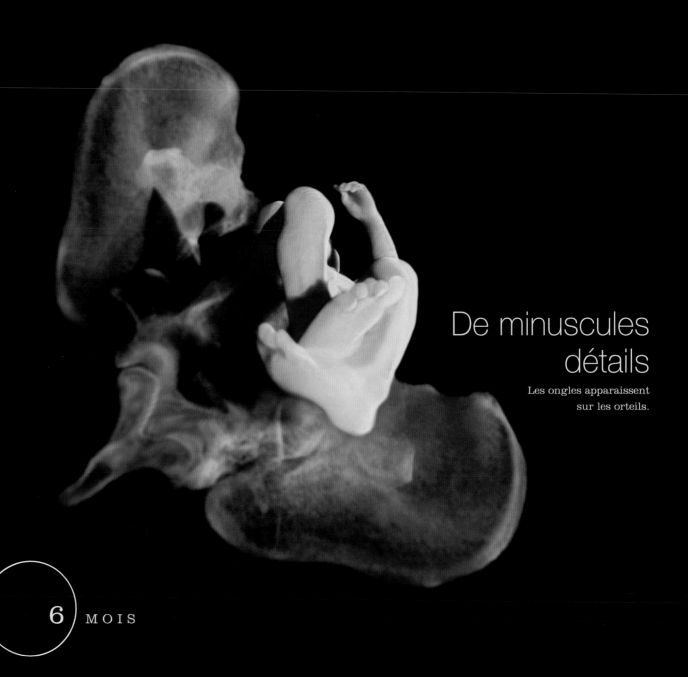

De minuscules détails

Les ongles apparaissent
sur les orteils.

6 MOIS

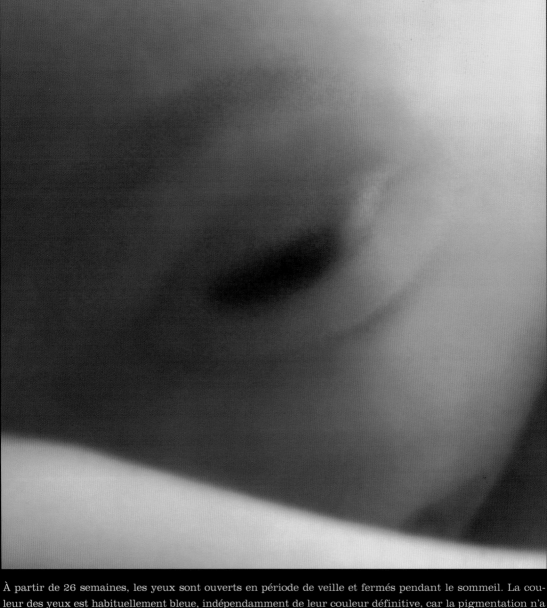

À partir de 26 semaines, les yeux sont ouverts en période de veille et fermés pendant le sommeil. La couleur des yeux est habituellement bleue, indépendamment de leur couleur définitive, car la pigmentation n'a pas encore débuté. La fabrication finale du pigment oculaire nécessite l'exposition à la lumière et se produit plusieurs semaines après la naissance.

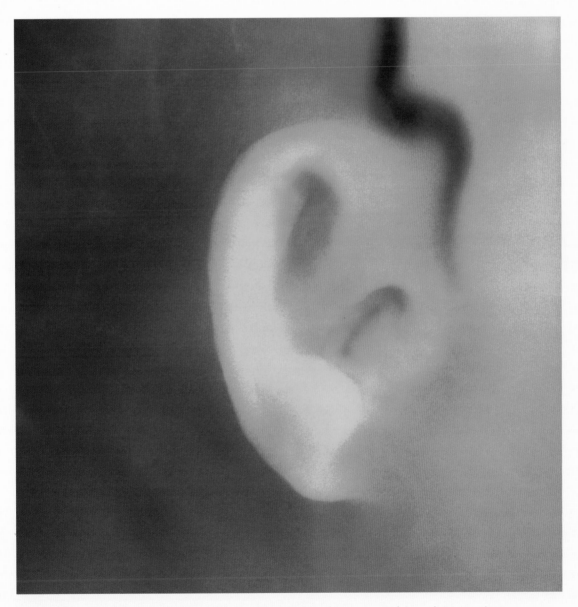

Les yeux sont sensibles à la lumière, et les oreilles perçoivent les sons extérieurs à 24 semaines.

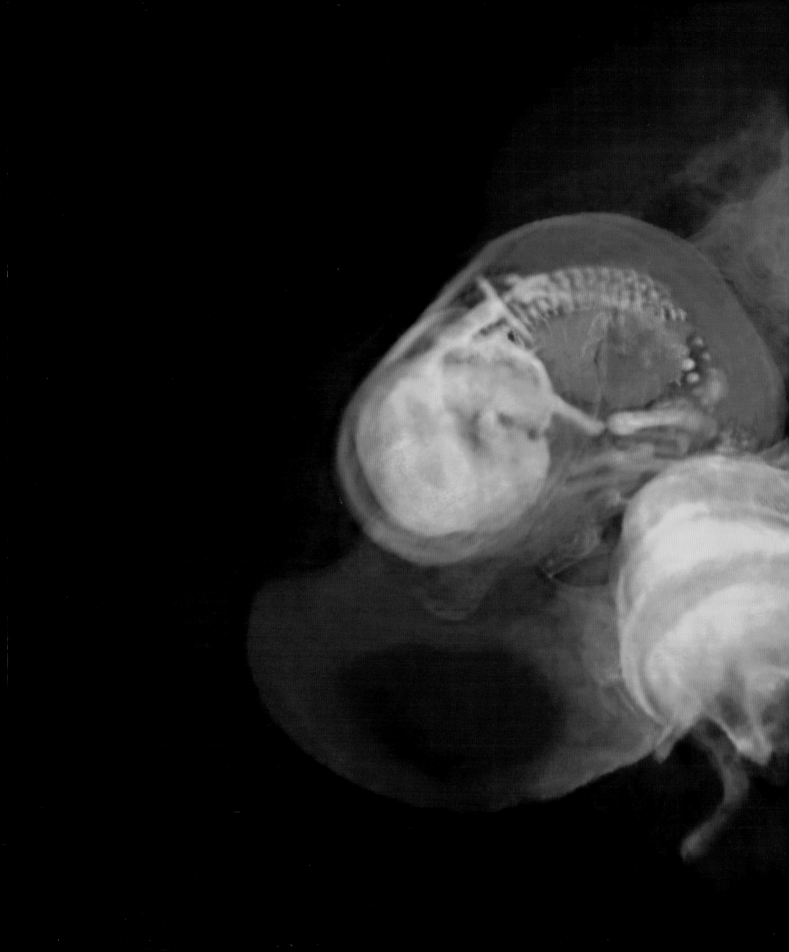

Au nid

Le fœtus dans le bassin maternel à 26 semaines.
Remarquez l'importance du cerveau antérieur.
Le système nerveux central est assez développé
pour contrôler la respiration et réguler
la température du corps. Les poumons sont capables
de respirer. Les bébés qui naissent prématurément
après 26 semaines ont une bonne chance de survie.

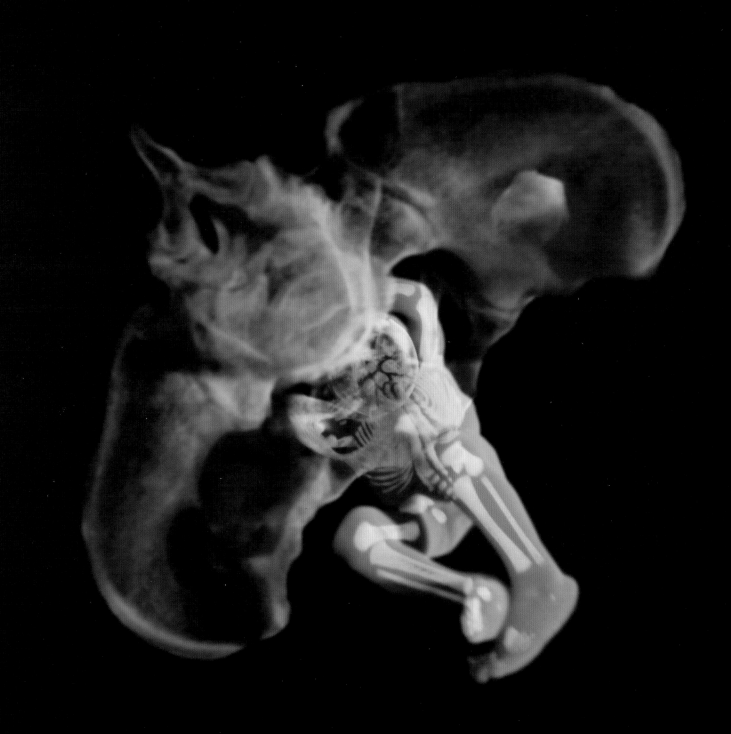

LE SEUIL DÉCISIF

La viabilité. Il n'existe nulle part dans le corps une activité plus accentuée et mise en valeur par l'émergence de formes de plus en plus raffinées que dans le cerveau. Jusqu'à présent, le cortex cérébral était encore relativement lisse, mais des sillons et des scissures se multiplient à sa surface. Les fonctions se localisent à mesure que le nombre et le volume des circonvolutions augmentent. Les centres de la vision, de l'odorat, de l'ouïe, du langage, de la motricité, de la sensibilité et d'autres fonctions se développent dans les mêmes zones chez tous les êtres humains. Ils sont maintenant tous en place. Les sites et les réseaux qui dirigent le raisonnement, la mémoire ou l'imagination ne sont pas encore formés mais, à ce stade, le cerveau est devenu assez efficace pour contrôler le rythme respiratoire, coordonner les contractions du tube digestif et réguler la température corporelle, trois exigences majeures pour la vie extra-utérine. Les poumons possédant maintenant un nombre suffisant d'alvéoles et de vaisseaux sanguins pour permettre au bébé d'échanger l'oxygène et le gaz carbonique, ses chances de survie augmentent sensiblement en cas de naissance prématurée.

Les préparatifs finaux se poursuivent à travers tout le corps. Les globules rouges sont maintenant produits entièrement dans la moelle d'os en voie de calcification. Le fin duvet apparu au cinquième mois qui recouvre la peau, le *lanugo,* disparaît presque partout, sauf sur le dos et les épaules. La tête se couvre des premiers cheveux. La peau devient plus lisse, avec le dépôt accéléré, dans les couches profondes, d'îlots de graisse qui forment un isolant thermique et stockent de l'énergie. Chez presque tous les petits garçons, les testicules sont descendus dans le scrotum, une position qui sera nécessaire dans le futur pour produire des spermatozoïdes viables.

Page de gauche
La production de globules rouges est entièrement prise en charge par la moelle osseuse.

7 MOIS

En position

L'espace limité de la cavité utérine oblige
les jambes à se replier, dans la position connue
sous le nom de position fœtale.

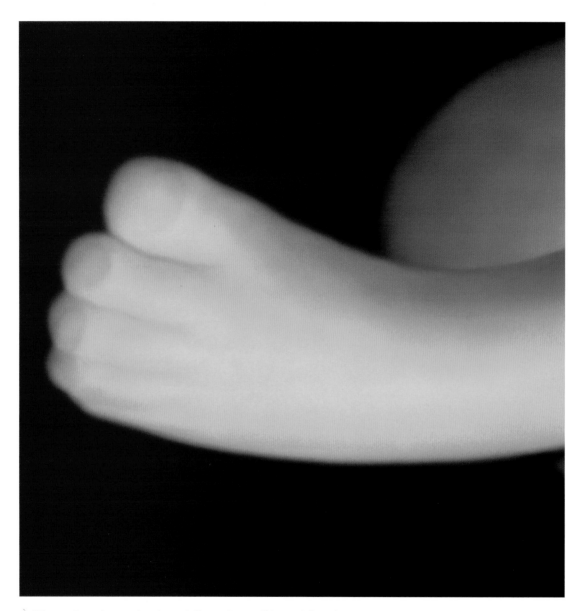

À 30 semaines, les ongles des orteils sont complètement formés.

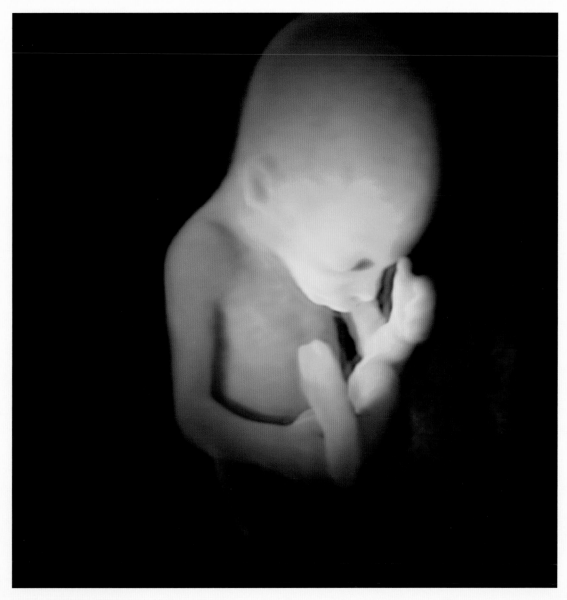

La peau se déplisse grâce aux dépôts graisseux accumulés dans les couches profondes. La graisse est un isolant thermique et une réserve d'énergie. Le fœtus semble plus pâle à cause de la présence de graisse.

UN LOGEMENT ÉTROIT

Une période difficile pour la mère. À la fin du huitième mois, le bébé a tellement grandi – il mesure plus de 40 centimètres et pèse environ 2,5 kilos – que l'utérus devient vraiment un logement étroit. Imaginez pour des triplés ! Les jambes sont repliées le plus souvent en positon fœtale, et la tête en position basse appuie maintenant sur l'orifice du bassin osseux. Creusant des fossettes aux coudes et aux genoux, plissant le cou, de petits amas de graisse donnent au bébé une apparence grassouillette.

La phase si agréable du ballet aquatique des premiers mois est terminée. La mère se sent pleine, envahie, comme si quelqu'un la bourrait de coups d'épaule de l'intérieur. On a raconté que Marie-Antoinette, adressant une requête à son mari Louis XVI, avait décrit son royal état ainsi : « Je viens, Sire, me plaindre d'un de vos sujets qui a été si audacieux qu'il m'a donné des coups de pied dans le ventre. »

L'augmentation du poids de la mère et du fœtus commence à ralentir en prévision de la naissance. Si le fœtus continuait à prendre un quart de son poids chaque mois, comme pendant la période précédente, il pèserait plus de 100 kilos à son premier anniversaire. Déjà, le bébé stocke de la nourriture prélevée sur sa mère pour couvrir les risques d'une naissance prématurée, car le tube digestif fœtal est encore immature. Le méconium qui se forme dans l'intestin est composé d'un mucus vert foncé et de cellules mortes provenant du foie, de la vésicule et du pancréas.

Tous les organes des sens fonctionnent parfaitement, et le bébé ressemble beaucoup à ce qu'il sera à la naissance, même si la plupart ont les yeux bleus en attendant leur couleur définitive. La fabrication finale du pigment oculaire nécessite une exposition à la lumière et ne survient habituellement que quelques semaines après la naissance.

Les bébés possèdent leur propre système immunitaire 6 semaines avant le terme.

8 MOIS

L'esprit galope

Le cerveau grandit encore,
alors que la croissance du corps ralentit.

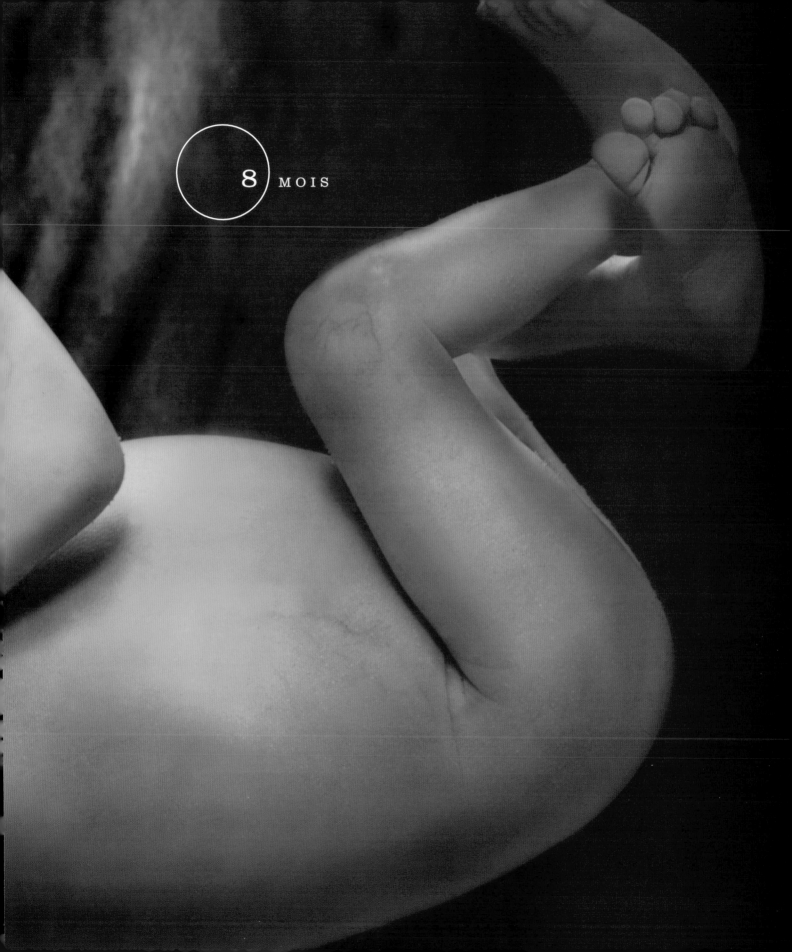

8 MOIS

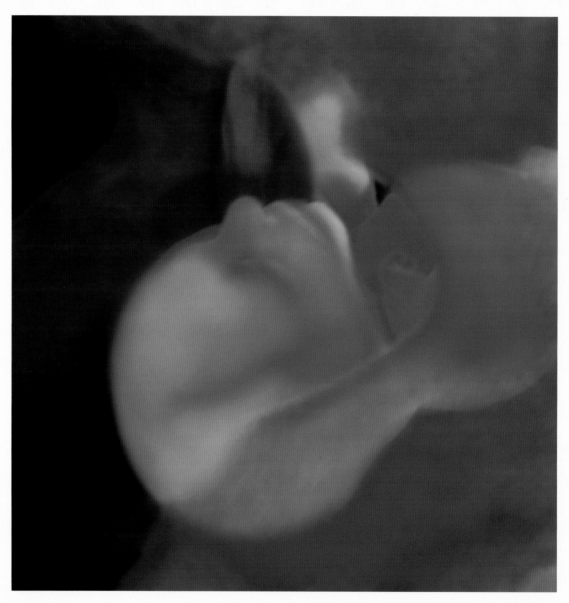

La peau apparaît rose pâle grâce aux vaisseaux sanguins qui abondent sous sa surface.

Les ongles des doigts dépassent de la dernière phalange, et le fœtus peut se gratter à partir de la 32ᵉ semaine.

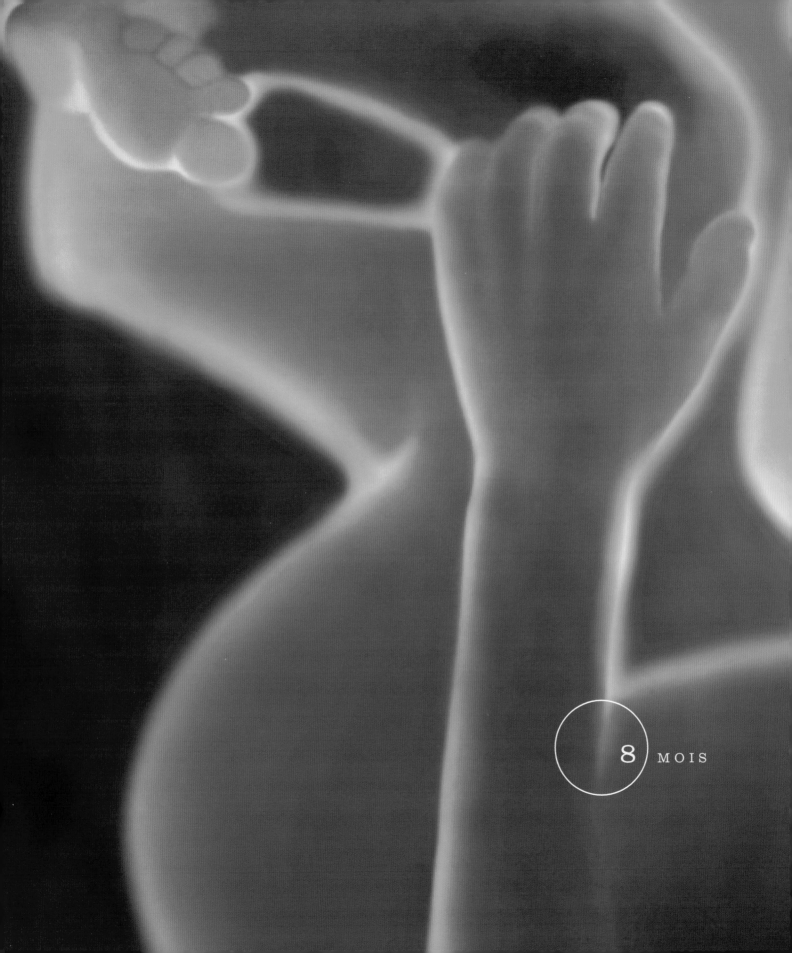

8 MOIS

Un bébé dodu

Le corps rond et grassouillet est dû à un nouveau
stockage de graisses qui maintient la température
corporelle au-dessus de la température maternelle.

Le ventre du bébé est gros et rond,
surtout à cause du foie qui produit
d'innombrables substances.
L'espace commence à manquer.
Le bébé est prêt pour la naissance.

PRÊT À VOIR LE MONDE

Les derniers présents maternels. Le bébé semble moins actif pendant ce dernier mois, mais ceci est dû uniquement au fait qu'il manque de place pour bouger. Les filles pèsent en moyenne 2,8 à 3,5 kilos et mesurent 37 à 39 centimètres de la tête à la croupe, soit 48 à 50 centimètres de la tête aux pieds. Les garçons peuvent être un peu plus grands. Votre bébé peut naître à tout moment, bien que les petites touches finales soient en cours. Bien entendu, de nombreuses fonctions continuent à se développer après la naissance et le feront pendant toute la vie.

Le plus remarquable est peut-être le crâne, qui n'est pas entièrement solide mais comporte cinq zones non ossifiées, les fontanelles. Précaution de sécurité pour réduire le diamètre du crâne afin de permettre un passage plus aisé à travers le canal pelvien, cette structure déformable assure à la fois le besoin de protection du cerveau fœtal et la protection de la mère pendant l'accouchement. Les fontanelles permettent à la tête de s'allonger et de rétrécir pendant la naissance, avant de retrouver une forme arrondie.

Le transfert d'immunité de la mère à l'enfant est tout aussi significatif. Pendant ce dernier mois, le bébé reçoit un apport temporaire d'anticorps venant du sang maternel. Ces protéines anti-infectieuses protégeront le nouveau-né contre les maladies infantiles, tels les oreillons, la rubéole, la coqueluche ou la scarlatine, contre diverses maladies bactériennes et même contre les virus du rhume ou de la grippe, jusqu'à ce que l'enfant puisse les produire lui-même.

À la fin du neuvième mois, les ongles des pieds et des mains ont tellement poussé que le bébé peut souffrir d'écorchures. Les gencives sont crénelées, donnant dans certains cas une fausse impression de dents qui poussent. Depuis la grappe de cellules en bulles de savon qui dévalait la trompe de Fallope neuf mois plus tôt et s'implantait dans la paroi utérine, un être humain complet, conçu dans les moindres détails, s'est formé.

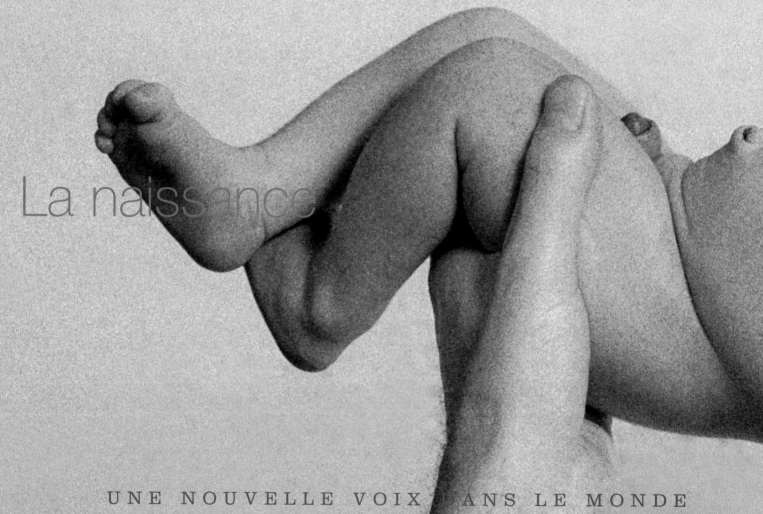

La naissance

UNE NOUVELLE VOIX DANS LE MONDE

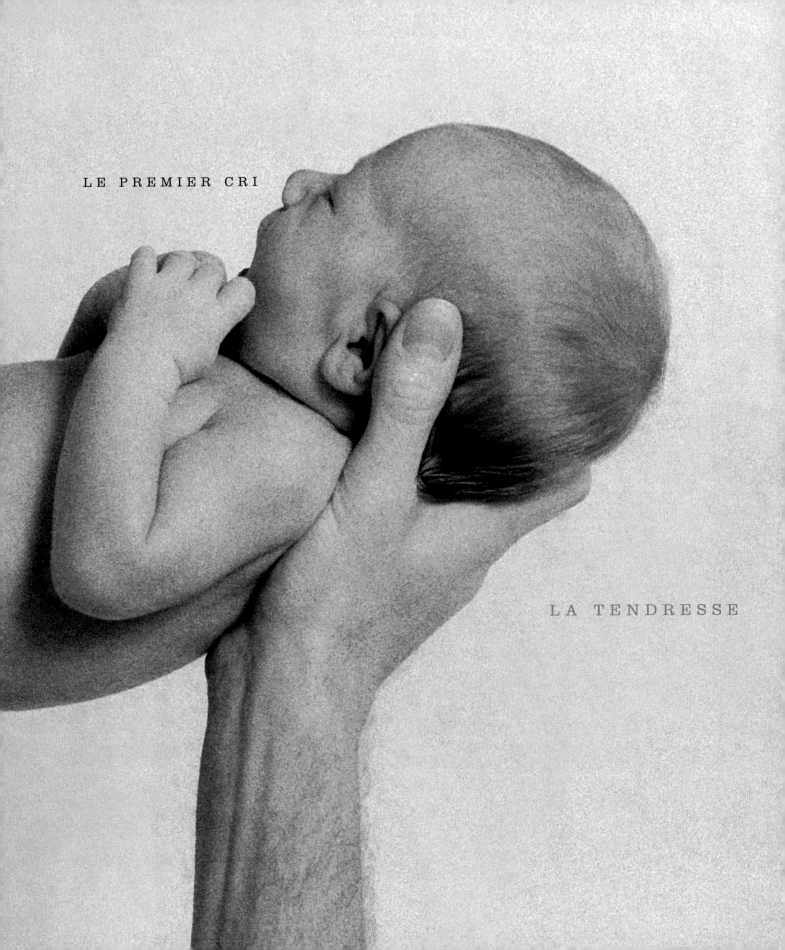

LE PREMIER CRI

LA TENDRESSE

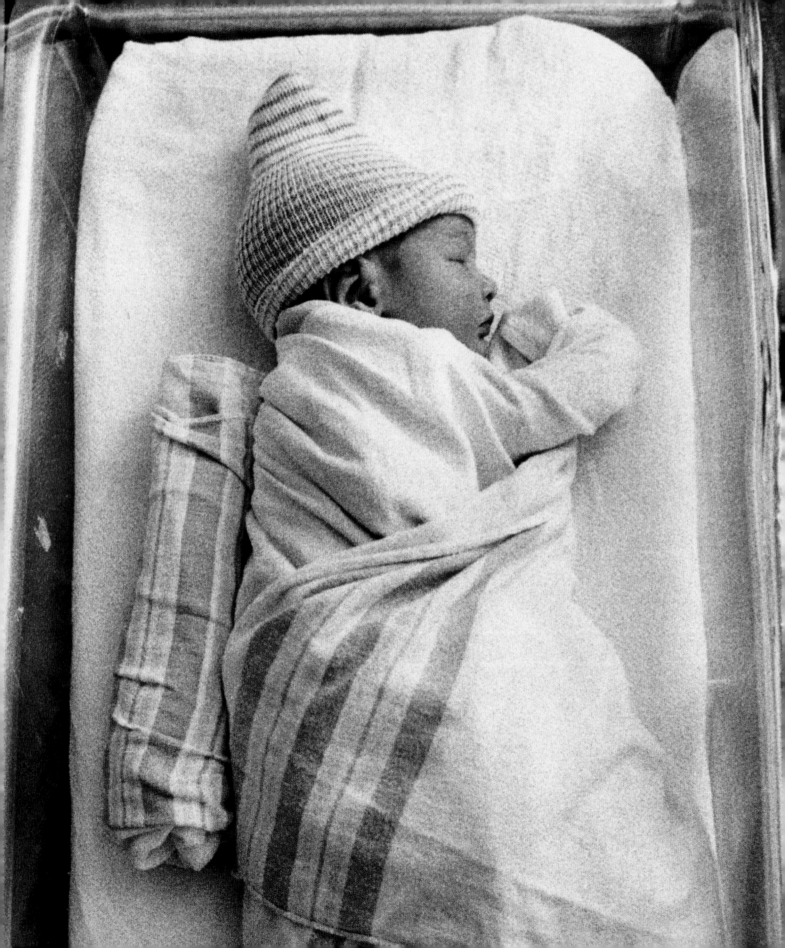

05

La venue du bébé

La venue au monde du bébé marque un changement capital pour le nouveau-né et sa mère. La plupart des organes fœtaux comme les poumons, l'estomac, l'intestin ou les reins n'avaient jamais été mis à l'épreuve parce qu'il n'y avait pas d'oxygène à respirer, pas d'aliment à digérer, pas de déchets à éliminer. Ils doivent maintenant se mettre tous en marche dans les secondes qui suivent la délivrance. D'autres organes déjà en service, comme le cœur ou le cerveau, doivent s'adapter sans hésitation à un monde pour lequel ils ont été conçus et préparés, mais qui est absolument différent de celui dans lequel ils ont fonctionné. Le sang qui arrive au cœur doit brusquement être dérivé vers les poumons, ce qui implique que se referme instantanément la communication entre les deux oreillettes, nécessaire à la circulation fœtale tant que l'oxygène provenait des échanges à travers le placenta. Le système nerveux commence immédiatement à traiter les informations fournies par les yeux, presque aveuglés par une tempête de données nouvelles (sans compter les gouttes versées par le médecin pour prévenir l'infection). Si nous reprenons la comparaison avec la construction d'un immeuble, c'est comme si nous avions été bâtis sous l'océan et qu'une brusque tempête nous avait poussés sur la terre ferme en parfait état et immédiatement prêts à servir.

Un bébé, à l'inverse d'un fœtus, doit se protéger contre les secousses, les changements de température, la maladie. Plus tard encore, l'être humain doit lutter contre les embûches et les difficultés de l'école, du travail, de l'âge, des deuils et, finalement, avoir à son tour des enfants. À partir de la naissance, il doit tout surmonter lui-même. Les jours de dépendance parasitaire dans un hôte consentant sont terminés.

Pour la mère, perdre sa primauté dans la vie du fœtus est un choc équivalent. Elle a tout été : la nourriture, la chaleur, l'abri, la sécurité, jusqu'à être l'air que le bébé respirait. Elle était habitée par un envahisseur – qui lui faisait oublier de bon gré l'inconfort majeur et les changements de son corps – qui est maintenant dehors et qui pleure.

Le doux chagrin de la séparation peut s'oublier rapidement, comme le choc de la séparation peut s'installer brutalement. Mais les bébés ont des moyens remarquables pour s'insinuer dans la vie de leurs parents. Leur perfection impuissante et leur abandon confiant leur donnent le pouvoir – comme tout parent l'apprend avec fierté – d'attirer non seulement l'admiration et la sympathie, mais aussi des foules d'adorateurs.

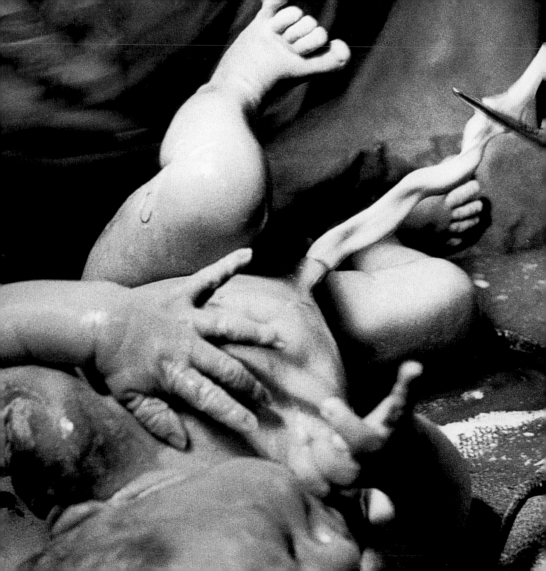

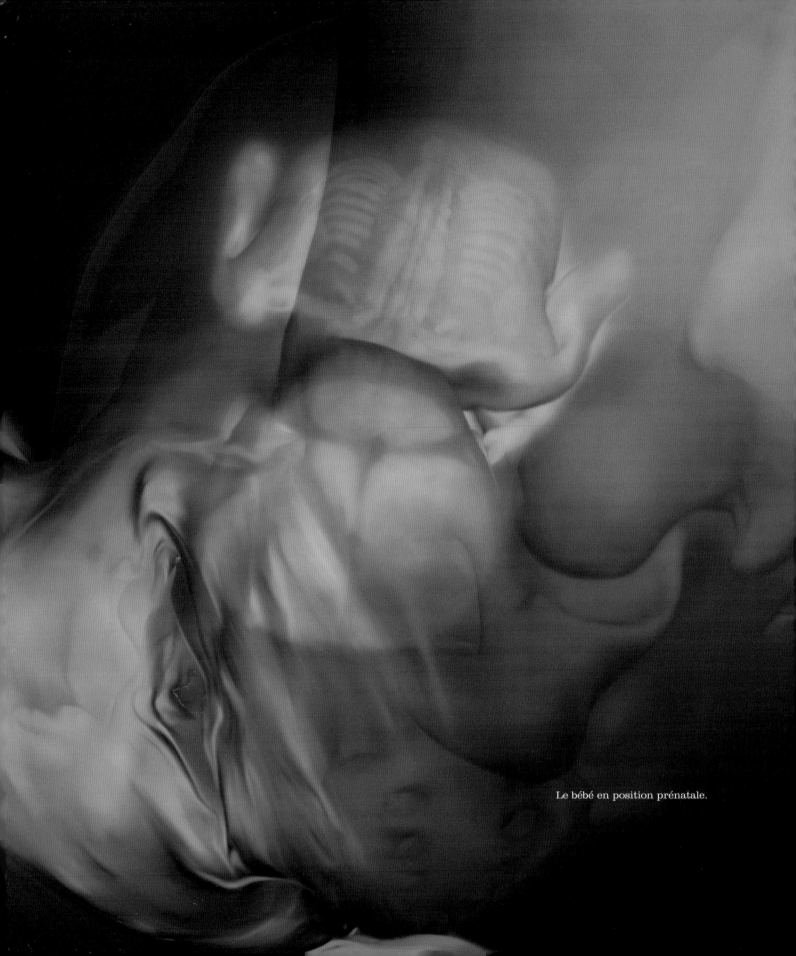

Le bébé en position prénatale.

ENTRER EN TRAVAIL

Enfin. Depuis les premiers jours qui suivent la conception, la mission de l'utérus a été d'abriter et de protéger le fœtus en croissance. Son rôle est maintenant de l'expulser et de se reconstituer lui-même pour de futures grossesses. Les hormones contrôlent ces ultimes bouleversements physiologiques et, pour déclencher la phase concrète et mécanique de l'expulsion du fœtus en dehors de l'utérus, le cerveau de la mère commence à sécréter de l'ocytocine. Aussi appelée hormone de l'amour pour son rôle dans l'orgasme, l'ocytocine déclenche le processus du travail en stimulant la contraction du muscle utérin.

Une autre hormone d'origine ovarienne ouvre le col de l'utérus. Écrasé par la tête du bébé, ce dernier se prépare maintenant à se dilater pour passer de 5 millimètres (la taille d'un petit pois) à près de 10 centimètres de diamètre. Le bouchon muqueux qui obstruait le col se déloge et tombe dans le vagin, souvent légèrement teinté de sang. Avec les premières contractions, habituellement si douces et courtes que certaines femmes ne les sentent pas, la perte du bouchon est souvent le premier signe d'entrée en travail. Pendant ce temps, le vagin sécrète un glucide complexe, le glycogène, qu'il transforme sur place en acide lactique, un agent anti-infectieux.

Lorsque les contractions se rapprochent, toutes les 3 à 5 minutes, elles deviennent plus puissantes et plus longues. Certaines femmes enceintes peuvent encore poursuivre leurs activités, mais ces contractions plus fréquentes provoquent généralement une gêne de plus en plus grande surnommée les « douleurs », et signalent que l'accouchement est imminent.

Comme les psychologues l'ont observé, donner naissance est un événement social. À l'inverse des autres primates, l'espèce humaine n'est pas adaptée à un accouchement dans la solitude. Notre position verticale et la taille de la tête du bébé modifient la mécanique de la délivrance, rendant la naissance d'un enfant relativement longue et douloureuse. La plupart des nouveau-nés se présentent la face tournée vers l'arrière lorsqu'ils sortent de la vulve, de telle sorte que la mère risquerait d'endommager la tête du bébé si elle essayait de faciliter le passage avec ses propres mains. Malgré la relation exclusive mère/enfant développée pendant la grossesse, d'autres personnes sont maintenant indispensables. Destinées à apporter de l'aide et du réconfort, elles doivent être sélectionnées avec soin.

LA CÉSARIENNE

Une fois sur sept. Bien que la plupart des parents espèrent que leur enfant naîtra par les voies naturelles, un nouveau-né sur sept – dans l'ensemble des pays occidentaux – voit le jour grâce à une incision de l'abdomen maternel. Le plus souvent, la césarienne est décidée quand le travail stagne parce que la tête du bébé est trop grosse pour franchir un bassin osseux trop étroit ou parce que la mère et l'enfant présentent un état de souffrance cardio-vasculaire. Dans d'autres cas, le risque d'autoriser la poursuite d'un accouchement naturel devient trop lourd et l'enfant est extrait rapidement grâce à un acte chirurgical. Les césariennes sont également pratiquées quand le placenta est implanté trop bas et recouvre le col de l'utérus, ainsi que lorsque le bébé se présente par le siège ou l'épaule et ne peut être retourné.

La césarienne est une opération lourde, pratiquée sous anesthésie générale ou de préférence péridurale au moins jusqu'à l'extraction du bébé, qui ne reçoit ainsi aucun produit anesthésiant. L'anesthésie péridurale permet aussi à la mère de vivre en toute conscience la naissance et les premiers instants de son enfant. La convalescence est plus longue après une césarienne qu'après une naissance par voie vaginale, mais le lever a lieu dès le lendemain et l'opération n'interdit en rien de débuter un allaitement maternel.

Une ancienne règle empirique disait : césarienne une fois, césarienne chaque fois. Cette pratique est aujourd'hui dépassée. Si le motif de la première césarienne ne se reproduit pas, une mère a désormais 60 % de chances d'avoir une naissance suivante par voie vaginale. Les incisions basses et horizontales, aujourd'hui généralisées, présentent moins de risques de complications que les incisions verticales anciennes. Elles ne laissent aucune cicatrice visible sur la paroi abdominale une fois que la pilosité pubienne a repoussé. En revanche, chaque césarienne fragilise l'utérus, et le fait de ne pas autoriser plus de trois naissances par césarienne reste valable.

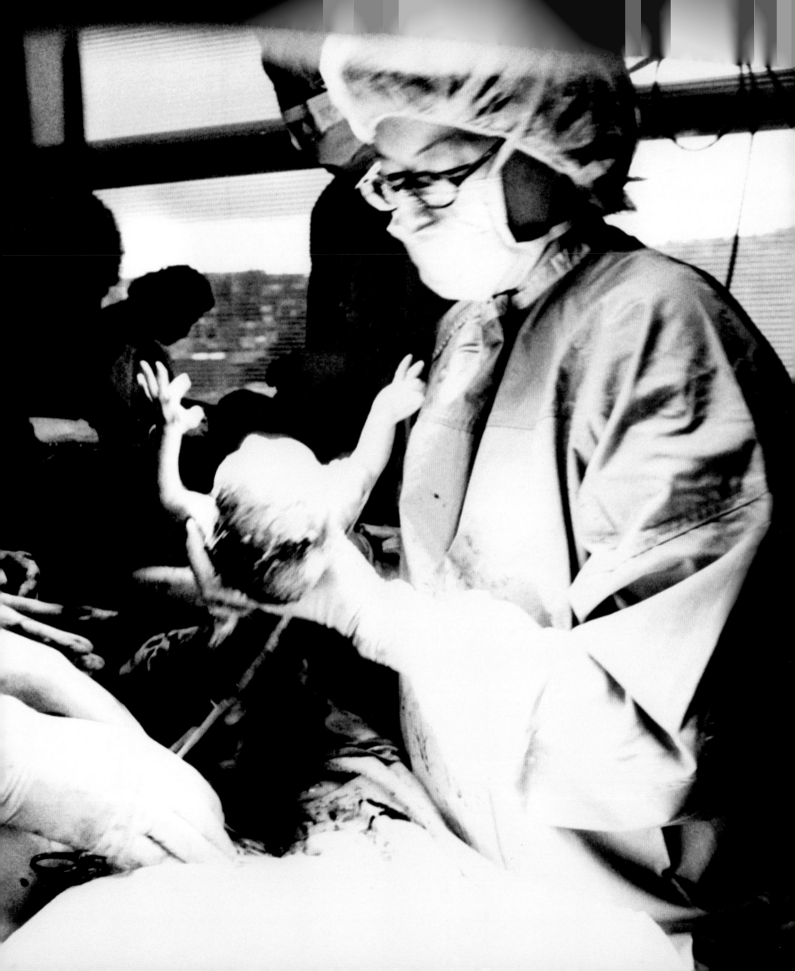

1

PRÊT À NAÎTRE
Les contractions utérines se ressentent
durant les dernières semaines de la gestation.
L'utérus devient très dur pendant ces épisodes
appelés « douleurs ».

Donner naissance

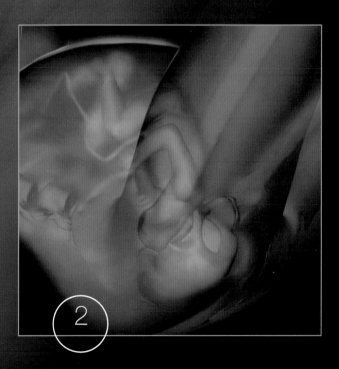

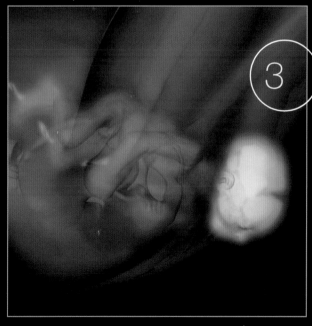

L'UTÉRUS S'OUVRE

Le bébé bascule vers le bas, le col de l'utérus se dilate :
l'expulsion progresse à chaque contraction utérine.

LE BÉBÉ APPARAÎT

Dans la majorité des cas, le bébé naît par la tête, avec la face
en arrière.

La tête la première

Les êtres humains ont une tête disproportionnée
par rapport à leur corps. Pour permettre le passage
du bébé à travers la filière osseuse du bassin,
le pelvis maternel doit s'écarter légèrement
en son milieu, au niveau de la symphyse pubienne.
Le premier accouchement est toujours plus difficile.

Les premiers instants

La naissance est une expérience traumatisante
pour le bébé. Les glandes surrénales déjà volumineuses
libèrent une grande quantité d'adrénaline,
l'hormone du stress qui rend supportables cet événement
et la privation d'oxygène transitoire.

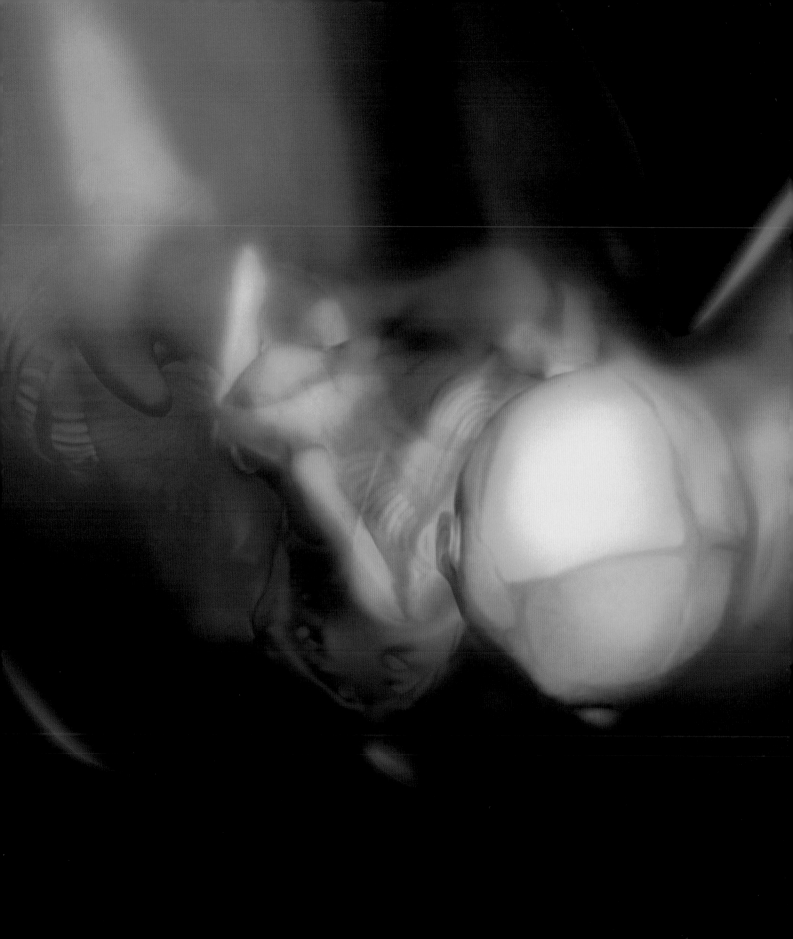

L'ACCOUCHEMENT

Bienvenue dans le monde. L'expulsion commence quand le col de l'utérus est complètement dilaté. Les contractions utérines, qui se produisent à ce stade toutes les trois minutes et durent environ une minute, étaient jusquelà subies passivement. Mais la mère peut maintenant les renforcer en poussant très fort vers le bas avec ses muscles abdominaux. Les membranes de la poche des eaux se rompent au début de cette phase ou, si ce n'est pas le cas, doivent être rompues chirurgicalement par l'obstétricien pour accélérer l'accouchement. Le liquide amniotique jaillit à travers la vulve, laissant brusquement le fœtus sans protection. Des conditions aseptiques et une expulsion rapide sont alors essentielles pour que le nouveau-né soit en bonne santé et plein de vitalité, car il est désormais exposé aux microbes et aux changements de température.

Dans l'immense majorité des cas – seulement 3,5 % des enfants naissent par le siège ou les pieds en premier –, la tête du bébé s'engage la première à travers le col de l'utérus entièrement dilaté et apparaît quand l'orifice de la vulve se distend. Elle recule entre deux contractions. Lorsque la tête est totalement sortie, les médecins et les sages-femmes savent saisir le bébé et le tirer pour faciliter la sortie du corps. Les fontanelles n'étant pas encore soudées, la tête modelable du bébé peut sembler provisoirement déformée.

Dès que le bébé est complètement expulsé, le système respiratoire entre brusquement en action. À l'intérieur de l'utérus, les poumons du fœtus restaient soit écrasés, soit partiellement remplis de liquide amniotique : les millions d'alvéoles étaient comprimées, inondées et inutilisées. À la naissance, l'apport d'oxygène est brusquement interrompu quand le cordon ombilical, qui assurait l'oxygénation du sang à travers le placenta, est noué puis sectionné. Comme la circulation continue à fonctionner dans le corps du bébé, le taux de gaz carbonique augmente dans le sang. Ceci pousse le centre du contrôle respiratoire situé dans le bulbe rachidien à déclencher la contraction des muscles intercostaux et du diaphragme, et à débuter le cycle bien réglé des mouvements répétés pour la première fois des mois plus tôt. Les muscles qui se contractent dilatent la cage thoracique et abaissent le diaphragme vers l'abdomen, ce qui permet aux poumons de se gorger d'air comme une voile par grand vent.

Après cette première grande inspiration et la vigoureuse expiration qui suit, il est habituel (mais pas obligatoire) que le bébé pousse son premier cri. Aucun autre comportement n'est plus symbolique de l'adaptation du bébé à la vie extra-utérine. Ses parents et leurs proches peuvent enfin évacuer le stress et l'excitation d'une aussi longue attente en versant quelques larmes de bonheur.

Cet ouvrage est dédié aux personnes qui ont eu l'intelligence de rassembler et de conserver les archives d'embryologie humaine de Carnegie.

L'engagement soutenu des ressources de l'Institut national de la Santé et de la Médecine et du Registre américain des pathologies a permis aux scientifiques et aux artistes de faire progresser nos connaissances et les prouesses techniques en matière de développement humain.

Nous souhaitons également remercier Adrianne Noe, Ph. D., Directrice de l'Institut des Pathologies du musée national de la Santé et de la Médecine des Forces Armées, et l'AFIP pour son investissement dans les archives et les encouragements qui ont été adressés à moi et à tous ceux qui ont envie de partager leur enthousiasme dans la recherche et la curiosité pour le développement humain.

REMERCIEMENTS

Bill Thomas, directeur éditorial, Doubleday
Je voudrais féliciter Bill d'avoir su voir, alors que si peu de gens y croyaient, le potentiel de ce livre. Je souhaite également le remercier pour ses qualités d'esthète et de manager et pour avoir fait de ce projet l'une des expériences professionnelles les plus épanouissantes de ma carrière.

Attila Ambruce, Producteur exécutif, Société Anatomical Travelogue
Le temps et le talent qu'il a consacrés à cet ouvrage ont dépassé toutes mes espérances. Sa participation sur le plan de l'esthétique et des prouesses techniques l'a élevé à un niveau tel que tous ceux qui y ont participé en retirent une grande fierté.

Ma famille : Susan et Andreas
Je les remercie pour leur amour inconditionnel, leur soutien, leur patience, leur innocence et leur joie de vivre. J'espère seulement pouvoir un jour leur rendre ne serait-ce que le dixième de ce qu'ils m'ont donné.

Les collaborateurs de Anatomical Travelogue :
Glenn Ball, Laszlo Balogh, Chap Capeland, Diana Diriwaechter, Ildiko Fodor, Joanne Sommers Handley, Wan Seob Lee, Benjamin Lipman, Mark Mazaitis, Elias Papatheodorou, Kwang Park, Levente Szileszky.

E. C. Lockett, spécialiste de la mise en image, Institut des Pathologies du musée national de la Santé et de la Médecine des Forces armées.

William Disher, spécialiste de la mise en image, Institut des Pathologies du musée national de la Santé et de la Médecine des Forces armées.

Le Centre de la microscopie in vivo, département de radiologie, Centre médical de l'Université de Duke.

Le Laboratoire de la résonance magnétique biomédicale, Université de l'Illinois, Collège de médecine à Urbana-Champaign.

La société Olympus America, Groupe de l'équipement scientifique Olympus.

Marlin Minks, directeur de création, Anatomical Travelogue.

Carlo Bulletti, M. D., Directeur de la Physiopathologie de la reproduction, Hôpital général de Rimini, Professeur de biotechnologie de la reproduction à l'école de biotechnologie de la faculté de Médecine de l'Université de Bologne, Italie ; le Professeur associé d'obstétrique et de gynécologie de l'Université de New York.

P. Schwartz et H. W. Michelmann, Université de Goettingen, Allemagne.

L'Institut national de la santé des enfants et du développement de l'Homme, Institut national de la santé.
L'Institut National de la Santé.

Douglas T. Carrell, Ph. D., H.L.C.D., Professeur associé de chirurgie, obstétrique, gynécologie et physiologie, Directeur de l'IVF et des Laboratoires d'andrologie, et Benjamin R. Emery, B.S., École de Médecine de l'Université de l'État de Louisiane, Nouvelle-Orléans, Louisiane.

Raymond F. Gasser, Ph. D., Professeur principal d'embriologie humaine, Département de biologie cellulaire et d'anatomie, Centre de la science de la santé de l'Université de l'État de Louisiane, Nouvelle-Orléans, Louisiane.

Lewis C. Krey, Ph. D., Anna Blaszczyk, M.S., Caroline Mc Caffrey, Ph. D., et Alexis Adler, B.S. du Programme de fertilisation *in vitro,* de chirurgie reproductive et d'Infertilité, Département obstétrique et gynécologie, École de Médecine de l'Université de New York.

Direction artistique : Adriane Stark et Craig Bailey
Vous avez brillamment accompli un travail long et compliqué. Merci pour la beauté de vos conceptions et pour votre professionnalisme sans faille.
Barry Werth, écrivain : « Votre texte, c'est du Mozart », Steve Rubin, éditeur de Doubleday.

Kendra Harpster, éditeur assistant, Doubleday.
Rebecca Holland, directeur de publication, Doubleday.

Kim Cacho, Doubleday, Production.

Jennifer Rudolph Walsh, Vice-président principal, responsable du département littéraire, Agence William Morris.

Toutes les images ont été produites sur des cellules de travail HP.

Logiciels de visualisation et de volumes scientifiques développés en collaboration avec la Société volume Graphics GmbH, Allemagne (www.volume-graphics.com).

CRÉDITS PHOTOGRAPHIQUES

Nous souhaitons également remercier : E.C. Lockettand William Discher, spécialiste de la mise en image, l'Institut des pathologies du musée national de la Santé et de la Médecine des Forces armées ; Marlin Minks, directeur de création, Anatomical Travelogue.
P. Schwartz et H.W. Michelmann, Université de Goettingen, Allemagne, microscopie électronique ; Douglas T. Carrell, Ph. D., H.C.L.D., Professeur associé de chirurgie obstétrique et gynécologie, et de hysiologie, Directeur de l'IVF et des Laboratoires d'Andrologie ; Benjamin R. Emery, B.S., École de Médecine de l'Université de l'Utah, Salt Lake City, Utah ; le musée national de la Santé et de la Médecine/les archives d'Embryologie humaine de Carnegie. Lewis C. Krey, Ph. D., Anna Blaszczyk, M.S., Caroline Mc Caffrey, Ph.D., et Alexis Adler, B.S., Programme pour la reproduction in vitro, la Chirurgie reproductive et la stérilité, Département d'obstétrique et de gynécologie, École de Médecine de l'Université de New York.

Andreas, le fils d'Alexander Tsiaras.